P9-CQQ-019

CARICIAS DE LEÓN

SANTIAGO GARCÍA-CLAIRAC

VIOLENCIA Y MALOS TRATOS

SANTIAGO LUQUE

sm

Primera edición: marzo 2005

Colección creada y coordinada
por Jimena Licitra
Diseño de la colección: Pablo Núñez

Impresores, 15 - Urbanización Prado del Espino
28660 Boadilla del Monte (Madrid)
www.grupo-sm.com

Centro de Atención al Cliente
Tel.: 902 12 13 23
Fax: 91 428 65 97
e-mail: clientes.cesma@grupo-sm.com

ISBN: 84-348-3521-5
Depósito legal: M-17211-2005
Impreso en España / *Printed in Spain*
Imprenta SM

[...]

Una vez más no, por favor
Que estoy cansá y no puedo con el corazón
Una vez más no, mi amor, por favor
No grites, que los niños duermen

[...]

Malo, malo, malo eres
No se daña a quien se quiere, no
Tonto, tonto, tonto eres
No te pienses mejor que las mujeres

[...]

Malo, Bebe
PAFUERA TELARAÑAS (2004)

"EL HOMBRE SE DISTINGUE DE LOS DEMÁS ANIMALES POR SER EL ÚNICO QUE MALTRATA A SU HEMBRA." (JACK LONDON, ESCRITOR ESTADOUNIDENSE, 1876-1916)

ÍNDICE

CARICIAS DE LEÓN

Santiago García-Clairac

Primera parte

I

Recuerdo que corría como un loco, ciego de preocupación y sorteando a las personas que se cruzaban en mi camino. Salí del instituto como un misil, dispuesto a llegar a la clínica lo antes posible, ya que la llamada telefónica de mi padre me había desquiciado y el resto del mundo había dejado de existir para mí. Sus palabras se repetían una y otra vez en mi cerebro: *Ven lo más pronto que puedas. Tu madre ha tenido un accidente.*

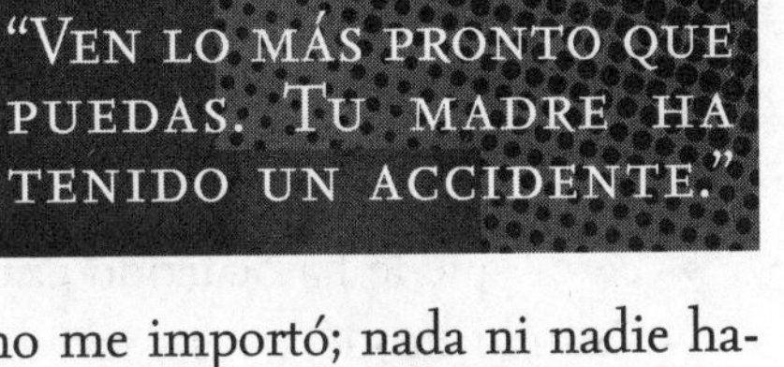

Estuve a punto de ser atropellado en dos ocasiones, pero no me importó; nada ni nadie habrían podido detenerme. Por fin, cuando mis pulmones estaban a punto de estallar, divisé la fachada de la clínica y mi corazón se tranquilizó un poco, a pesar de que nada indicaba que el problema estuviera solucionado.

Entré enloquecido en la clínica y no me detuve hasta que me encontré con mi padre, en el pasillo:

—¿Cómo está? –pregunté apenas lo tuve a mi alcance–. ¿Cómo se encuentra?

—El doctor me ha dicho que el peligro ha pasado –explicó, enderezando el nudo de su corbata.

—¿Estás seguro de que está bien? –insistí.

—Mira, ahí lo tienes. Pregúntaselo tú mismo.

Me acerqué al doctor Benito Flores, un viejo amigo de la familia:

—Doctor, ¿qué tal está mi madre?

—Ahora descansa, pero no te preocupes, va todo bien.

—Pero, ¿qué ha ocurrido exactamente?

—Se ha golpeado la cadera, y puede que durante algunos días la veas cojear, pero no debes alarmarte.

—¿Habrá que operar? –preguntó mi padre.

—Es pronto para decirlo...

—¡León! ¡Papá!

Era mi hermana Verónica, que venía corriendo hacia nosotros. Su oficina estaba lejos y resultaba lógico que fuese la última en llegar.

—¿Qué ha pasado? ¿Cómo está?

El doctor la agarró del brazo y trató de tranquilizarla:

—Ven conmigo y podrás ver por ti misma que se encuentra en buen estado. La hemos sedado un poco, así que no debes asustarte.

—¿Puedo ir yo también? –pregunté.

—Es mejor que te quedes aquí. No conviene cansarla –explicó.

Mientras se alejaban, me apoyé en la pared e intenté tranquilizarme.

Estaba preocupado y mi corazón iba a mil por hora.

—Bueno, León, hijo, ya ves que el peligro ha pasado –dijo papá.

—Pero, ¿qué le ha ocurrido exactamente?

—Cuando llegué a casa, me dijo que llevaba toda la tarde con dolor de cabeza. De repente, noté que se mareaba, y antes de que pudiera sujetarla, se cayó al suelo y se dio un buen golpe. Perdió el conocimiento; por eso la traje aquí...

—Hemos tenido suerte de que estuvieras con ella en casa –comenté–. Imagínate lo que habría sucedido si llega a estar sola.

—No lo quiero ni pensar –comentó, cerrando los ojos.

En ese momento, Verónica hizo acto de presencia y se acercó:

—Está medio dormida y no recuerda nada –nos informó–. Es mejor que os vayáis a casa. Yo me quedaré esta noche con ella para vigilarla.

—Pero yo quiero estar cerca, por si me necesita –me ofrecí.

—No. Es mejor que te marches –insistió–. Aquí no hacéis nada. Si pasa algo, os llamaré. ¿De acuerdo?

—Es lo más conveniente –dijo el doctor Flores–. Ya no se puede hacer más. Ahora necesita descansar.

—Está bien, nos vamos –aceptó papá–. Benito, de verdad, muchas gracias por todo. Si no fuese por ti...

Unos minutos después, mi padre y yo salíamos de la Clínica Buenavista. Cuando estábamos cerca de casa, papá, señalando el bar de Lucio, que aún estaba abierto, me preguntó:

—¿Te apetece tomar algo?

—No, de verdad. Prefiero ir a casa. Por si Verónica necesita cualquier cosa...

—Venga, no me dejes solo ahora –persistió–. Los hombres deben estar juntos y hablar de sus cosas. Anda, ven, te tomas un café y te vas, ¿vale?

—Está bien, pero recuerda que mañana tengo que ir a clase.

Me pasó el brazo por el hombro y entramos en el bar, que estaba casi vacío:

—Hombre, los *leones leones* –dijo Lucio a modo de saludo–. ¿Qué tal está tu mujer?

—Ingresada –dijo papá–. Pero no es grave, mañana le dan el alta... Anda, ponme un brandy y un café con leche para el chico.

Nos sentamos en la mesa del fondo y esperamos a que nos trajera las consumiciones. Me fijé entonces en un cartel que estaba pegado en la pared:

—Vaya, veo que has vuelto a ganar el campeonato –dije.

—Nadie puede conmigo –dijo marcando los bíceps–. El brazo de tu padre sigue siendo el más poderoso del barrio. Nadie puede echarme un pulso. Soy el más fuerte. ¿Quieres demostrar que ya me puedes ganar?

Papá, que era un gran tipo al que todo el mundo respetaba, me había enseñado a no tener miedo de nada ni de nadie. Yo quería ser como él; por eso hacía mucha gimnasia y había desarrollado buenos músculos.

—No, de verdad, esta noche no tengo ganas –respondí.

—Con esto os calentaréis un poco –dijo Lucio unos segundos después, dejando las bebidas sobre la mesa.

Papá dio un trago a su brillante copa mientras yo me servía el azúcar.

—Ah, esto es vida –dijo, exhalando un cálido soplo de alcohol–. Esto es lo mejor para un hombre de verdad...

—Creo que exageras un poco...

—Venga, vamos allá –dijo, colocando el brazo sobre la mesa y abriendo la mano–. Es bueno medir las fuerzas.

Aunque no tenía demasiadas ganas de enfrentarme a él, no le rehuí. Me arremangué y entrelazamos las manos mientras nuestros músculos se ponían en tensión. Durante unos segundos me hizo creer que podía ganarle, hasta que, finalmente, me aplastó la mano contra la mesa.

—Todavía te queda mucho para que puedas conmigo –dijo, pasándome la mano sobre la cabeza, como solía hacer cuando era un niño–. Tu padre aún es más fuerte que tú.

Mientras daba buena cuenta de su copa de brandy, yo me refugié en la taza de café, que todavía humeaba.

—Estoy preocupado por mamá –suspiré.

—*Leonsegundo*, no quiero que te angusties por ella. Es dura y fuerte como la roca. Tu madre es toda una mujer.

—Pero está envejeciendo muy deprisa. Es la sombra de lo que fue.

—En eso tienes razón. Ha tenido la fuerza de un roble... –dijo antes de dar otro tiento a la copa–. Yo tenía un gran futuro por delante como vendedor. Ahora sería director general, pero se quedó embarazada de Verónica, y yo, que soy un hombre de honor, me casé con ella sabiendo que mi vida se echaba a perder. En fin, qué le vamos a hacer.

En sus palabras había un poso de amargura, causada por ese embarazo no deseado del que me había hablado tantas veces.

—Hijo, ten mucho cuidado con las mujeres. Son muy hábiles y saben manejar a los hombres –dijo mientras pedía otra copa–. Si te descuidas, pueden arruinarte la vida.

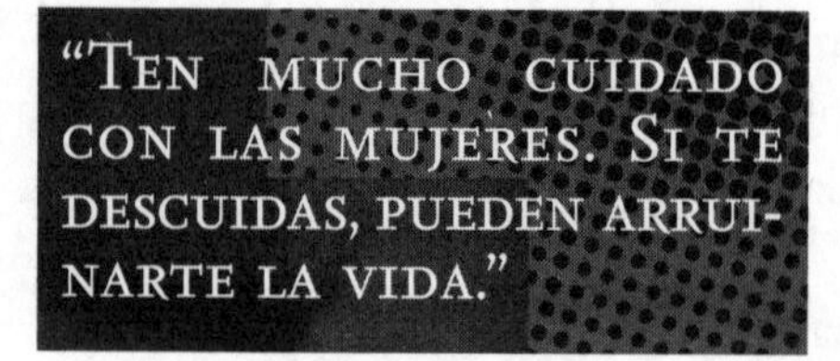

—No exageres, papá. Que nosotros sabemos lo que tenemos que hacer.

—*Leonsegundo*, eres un inocente. La vida te enseñará que las cosas no son tan sencillas –dijo, mirándose en el espejo del fondo y estirando su traje impecable–. Pero ya te darás cuenta de lo que te digo.

—No creas que soy tan tonto.

—No, pero ellas son muy listas. Nosotros somos más ingenuos; por eso debemos ser fuertes.

Lancé una ojeada a mi reloj y vi que era tarde.

—Papá, quizá deberíamos subir a casa. No sea que llamen de la clínica...

—Sube tú, que yo me voy a quedar un rato para hablar con Lucio. Tengo un asunto que tratar con él.

—Te esperaré despierto hasta que llegues, por si quieres que te prepare un poco de cena.

Tosió un par de veces y me respondió.

—No hace falta... Oye, *Leonsegundo*, no quiero que te obsesiones demasiado por lo de tu madre. Es fuerte y no está tan mal como parece. Tú céntrate en los estudios, ¿vale? Piensa en tu futuro.

—De acuerdo, te haré caso.

Salí del bar y me despedí de Lucio.

—Hasta luego, campeón –dijo, guiñándome un ojo.

Cuando llegué a casa, sentí un escalofrío y una extraña sensación de soledad, ya que nunca la había visto vacía a esas horas de la noche. Era como si mi familia hubiera desaparecido, y me sentí más intranquilo de lo que quise reconocer.

Abrí la nevera, me preparé una cena rápida y me senté ante la tele, con la bandeja sobre las rodillas. Zapeé un poco, pero al final la apagué, porque mis preocupaciones eran más fuertes que mi deseo de ver programas estúpidos de cámaras ocultas, concursos y cotilleos baratos.

Antes de irme a la cama, me quedé un rato en el sofá y traté de reordenar mis ideas sobre mi familia. Mis padres, mi hermana y yo estábamos viviendo un momento difícil... Y no era la primera vez.

II

Al día siguiente, entré en clase bastante desganado, pues la literatura no era precisamente mi asignatura favorita. Diana se sentó junto a mí y, como siempre, me acarició la mano. Éramos casi novios,

DIANA SE SENTÓ JUNTO A MÍ Y, COMO SIEMPRE, ME ACARICIÓ LA MANO.

pero ella siempre eludía la palabra que definía de verdad nuestra relación y prefería usar expresiones como "mi amigo", "mi chico", "mi pareja"... A mí me gustaba entrelazar mis dedos con los suyos y acariciar su piel suave; me reconfortaba notar el tacto de su mano sobre la mía.

—León, tío, no me aprietes tanto, que me haces daño –susurró–. Mira cómo me has puesto la mano. Está roja...

—¿No quieres que te acaricie?

—Claro que sí, pero podrías ser un poco más delicado.

—Perdona. Es que estoy nervioso por lo de mi madre...

—¿Cómo se encuentra?

—El médico dice que está bien –respondí–. Hoy mismo le dan el alta, y esta noche dormirá en casa.

—Tienes que cuidarla y ocuparte más de ella –dijo tímidamente–. El cariño es la mejor medicina para una persona enferma.

—Sí, claro, pero hay cosas que no puedo controlar. Ayer perdió el sentido y, si mi padre no llega a estar en casa con ella, cualquiera sabe cómo habría terminado.

—Te entiendo, pero insisto en que, cuanto más te ocupes de ella, mejor.

—¿Y qué tengo que hacer?

—Portarte bien –indicó–. Ser delicado, cariñoso y darle mucho afecto.

—¿Quieres decir que no la trato bien?

—Estoy segura de que puedes hacerlo mejor –dijo–. Podrías decirle cosas bonitas, algo que no haces a menudo.

—Ya sabes que eso no va conmigo. Yo no soy un hijo de esos que están todo el día detrás de su madre, dándole coba.

—Pero con tu padre sí puedes, ¿verdad?

—Es diferente. Entre hombres nos entendemos mejor. Además, Verónica ya se ocupa de ella.

En ese momento, Ángel, uno de mis mejores amigos, se acercó:

—¿Os habéis enterado de lo que le pasa a Vanessa? –comentó.

—No, ¿a qué te refieres?

—Pues parece que un vecino la está acosando –explicó.

—Ya lo sabía –susurró Diana–. Hace tiempo que la molesta.

—Vanessa afirma que la llama por teléfono, le hace proposiciones de noviazgo y, a pesar de que ella se niega, él insiste. La llama todos los días varias veces y la persigue por la calle.

—Es que Vanessa está muy buena –dije–. Más buena que el pan.

—¿Y eso le da derecho a acosarla? –preguntó Diana, algo indignada.

—¡Claro que no! –respondí inmediatamente, sabiendo que era la respuesta adecuada–. Estoy de acuerdo contigo: nadie puede perseguir a una chica... Por muy buena que esté.

—Ningún chico tiene derecho a acosar a una chica –añadió Patricio, que acababa de incorporarse a la conversación.

Patricio era un buen amigo, pero yo sospechaba que intentaba ligar con Diana, y eso me ponía nervioso. Sobre todo cuando me inundaba la sospecha de que ella no le miraba con malos ojos.

—No sé qué hacer –dijo Ángel, suspirando–. No me gusta que un imbécil ande persiguiendo a Vanessa.

—¿No sabes qué hacer para proteger a la chica que te gusta? –dije–. Tú eres tonto. Si alguien acosa a Diana, ya verás tú como sí sé lo que tengo que hacer.

Mis palabras hicieron el efecto que yo deseaba. Patricio se retiró a su mesa y Diana me prestó atención.

—Ya, eso lo puedes decir tú, que eres fuerte como un toro –admitió Ángel–. Pero yo no sé si...

—Si te quieres ligar a Vanessa de una vez por todas, tienes que demostrarle que estás dispuesto a luchar por ella –insistí.

—No le hagas caso –dijo Diana–. No conseguirás que Vanessa se interese por ti si te lías a puñetazos con todos los que van a acercarse a ella. Es mejor que...

> "Si te quieres ligar a Vanessa de una vez por todas, tienes que demostrarle que estás dispuesto a luchar por ella."

Estaba a punto de decirle que no me gustaba que me dejara en ridículo delante de Ángel, cuando Salvador, el profesor de literatura, entró en el aula portando su horrible cartera de cuero, más vieja que Matusalén, y esa condenada bufanda roja alrededor del cuello, que le colgaba casi hasta los pies. Mi padre tenía razón cuando hablaba de él: *Tu profesor de literatura es un payaso, con esa bufanda roja que no se debe de quitar ni para dormir. A ese lo único que le interesa es llamar la atención.*

—Buenos días a todo el mundo –anunció Salvador, después de abrir su cartera–. Supongo que habéis leído el libro que os recomendé la semana pasada. Me gustaría que me comentarais algunas de las frases que más os han llamado la atención, las que más os han interesado.

Nadie dijo nada.

—Me refiero a este libro –dijo, enseñando su ejemplar con el brazo levantado–. *La madre*, de Máximo Gorki. A ver, Vanessa, cuéntame...

—Es que no lo he terminado.

—Bien, pues dime algo sobre lo que hayas leído, aunque sea el título.

Todo el mundo se rió. Sabíamos de la poca afición de Vanessa por la lectura.

—Bueno, está bien. Vamos a ver si alguien tiene alguna cosa que decir –insistió–. Patricio, seguro que tú tienes algún comentario.

—A mí me ha gustado mucho cuando el padre se muere, y el hijo, Pavel, trata de portarse como él. Bebe y se pone autoritario con la madre. Es un niño que quiere comportarse como un hombre duro.

—Tienes razón. Es una escena reveladora. En ella, el autor nos cuenta cómo un hijo quiere imitar al padre muerto, y una de las primeras cosas que hace es emborracharse.

—¿Puede un hijo hacer las mismas cosas que su padre, aunque sea inconscientemente? –preguntó Teresa.

—Claro que sí. A veces, un chico joven podría querer imitar a su padre, al que posiblemente admire. En el fondo, todos buscamos modelos a los que imitar.

—¿Las chicas también?

—¿Por qué no iban las chicas a hacer lo mismo? –preguntó Salvador.

—Yo no imitaría a mi padre ni a la fuerza –dijo Montes–. No quiero parecerme en nada a él.

—El problema no es que quieras o no parecerte a él. Es que, a lo mejor, le imitas sin darte cuenta –explicó Salvador con ese tono paternalista que tanto le caracterizaba.

—Entonces, ¿un padre puede influir sobre su hijo sin que este lo sepa? –preguntó Ángel.

—Más de lo que nos imaginamos –confirmó con voz solemne.

—A mí hay una frase de este libro que me ha estremecido –dijo Diana–. ¿Puedo leerla?

—Claro que sí, adelante...

Diana cogió su libro, se puso en pie y comenzó a leer:

—Es una escena en la que el hijo le pregunta a su madre si tiene miedo. Y ella responde, con voz angustiada: *¿Cómo no voy a tener miedo? Me he pasado la vida entera temiendo... Tengo el alma llena de temor.* Creo que es la forma de expresar el terror en el que vive a causa del sistema, del marido y, posiblemente, de su hijo... Es aterrador.

—El miedo a los hombres –susurró Vanessa.

—El miedo que los hombres le han metido en el cuerpo –remató Diana, con la mirada algo perdida.

Un silencio sobrecogedor inundó la clase. Las palabras y la voz de Diana nos dejaron a todos anonadados.

—¿Qué os ha parecido? –preguntó Salvador unos segundos después. No sé qué me ha emocionado más, si el texto del libro o...

—¡La voz de Diana! –exclamó Patricio–. ¡Ha estado magnífica!

Para confirmar sus palabras, todo el mundo aplaudió, incluso yo. Diana, sonrojada, me miró de reojo. No habría podido explicar lo que sentí en ese momento; todo resultaba demasiado confuso. Era como cuando jugaba al fútbol y podía apreciar las ocasiones en las que el equipo contrario me metía un buen gol, pero a la vez me llenaba de ira que me golease.

III

La clase fue tan deprimente que, cuando salimos por la tarde, me fui con mis amigos al campo de fútbol a entrenar. Pasé completamente de Diana, que, con lo de las frasecitas literarias, me había puesto muy nervioso.

La verdad es que nuestro equipo no llevaba nada bien la temporada. Perdíamos todos los partidos y eso nos tenía muy enfadados a todos. Enfadados y desanimados.

Kevin, nuestro entrenador, era un tío muy blando, que no nos exigía esfuerzos. Algunos teníamos la impresión de que solo le interesaba demostrar que era un buen estratega, y otros opinaban que debería dedicarse a dar clases de baile. A pesar de todo, había algo en él que me gustaba; me caía bien.

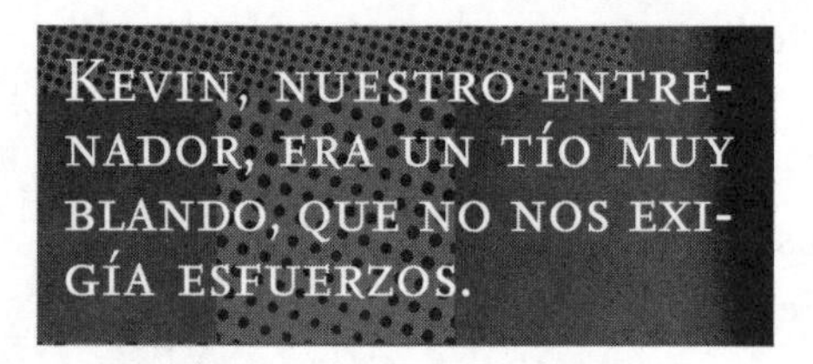

—Hoy no quiero peleas entre vosotros –dijo, apenas entró en los vestuarios–. Por muy agresivos que os pongáis, no vais a ser campeones.

—¿Y qué hay que hacer para ganar? –preguntó Montes, desde el fondo.

—Usad la cabeza.

—Pues la cabeza no nos sirve de mucho últimamente –insistió Montes.

—No os sirve de nada porque estáis empeñados en no usarla –explicó Kevin–. Solo la utilizáis para golpear el balón.

—Los equipos contrarios bien que usan los puños, y los codos, y las piernas –se quejó Ángel.

—Quiero que os portéis como jugadores inteligentes y no como matones de barrio. Eso es lo que quiero.

Después nos pidió que hiciéramos algunas flexiones y ejercicios gimnásticos más propios de bailarines que de verdaderos jugadores de fútbol.

—¡Venga, venga, que tenéis que estirar esos cuerpos!

—Kevin, yo no quiero dedicarme al ballet –dijo Andrés al cabo de una hora–. Estos ejercicios ni nos fortalecen ni nada.

—Pero os hacen más ágiles, que es de lo que se trata –respondió Kevin–. No me cansaré de repetir que más vale maña que fuerza. En fin, lo mejor es que lo dejemos por hoy. Tenéis la cabeza en otro sitio.

—Sí, estamos pensando en cómo atizar a los del Hortaleza –dije.

—La violencia no sirve para nada –insistió–. Es mejor aprender a hacer un juego inteligente... Venga, a los vestuarios.

Unos minutos después, me metí en la ducha y me quedé un buen rato bajo el agua fría, pensando en las palabras de Kevin. Salí casi el último y me crucé con él en el patio:

—León, me han contado que tu madre ha tenido un accidente –dijo–. Quería decirte que lo siento mucho.

—Bueno, hoy la mandan a casa. Ha sido más un susto que otra cosa. Hace tiempo que sufre de los huesos.

—Si quieres, podemos hablar con mi tío, que es especialista en...

—No, gracias, de verdad que no hace falta –respondí–. Mi padre ya se ocupa de todo.

No tuve valor para decirle que, a lo mejor, no iba a tener tiempo de ayudarme, ya que los miembros del Comité estaban estudiando su posible destitución. Todo el mundo estaba harto de él, así que no parecía conveniente contar con su colaboración.

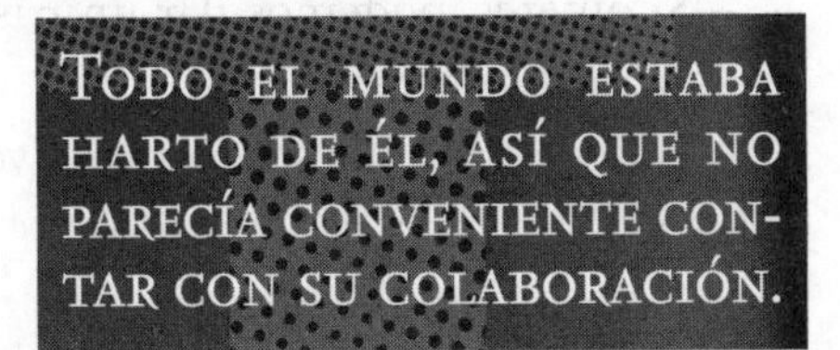

Salí a la calle y me encontré con Diana, que me estaba esperando.

—¿Qué pasa? Hoy has salido corriendo casi sin despedirte –me reprochó–. ¿Es que ya no quieres hablar conmigo?

—No, no es eso, es que tenía prisa. Había quedado en venir al entrenamiento y todo eso.

—Ya, sí, claro...

—Además, lo de mi madre me ha puesto muy nervioso. No sé lo que hago.

—Bueno, pues nada, ya hablaremos otro día –dijo, dando un paso hacia atrás–. Mañana nos vemos en clase.

—No, espera. No quería ser grosero contigo, pero es que hoy... Bueno, he tenido un mal día.

—¿Y por eso te has marchado sin decirme adiós?

Me acerqué y le cogí la mano. Entrelacé mis dedos con los suyos y sonreí.

—Perdona. Lo siento, a lo mejor he estado un poco...

—¿Insociable?

—Sí, eso. Perdóname, de verdad.

Empezamos a caminar y la acompañé hasta su casa. Aunque no estuve muy hablador, logré tranquilizarla.

—Somos amigos –dijo–. Nadie te obliga a estar conmigo. Pero no quiero que me trates mal.

—Yo jamás haré nada que te ofenda o te haga daño –afirmé categóricamente.

—¿Lo juras?

—¡Lo juro por lo más sagrado! Ya sabes que te tengo mucho respeto.

Se acercó y me dio un rápido beso en la mejilla:

—Así me gusta –dijo–. Cuando quieres, eres un encanto.

Después de unos segundos de silencio, le hice una proposición:

—Si quieres, podemos dar un paseo por el parque.

—Ya, por lo oscuro, ¿no?

—Podemos ir a nuestro banco, a ver si consigo que me perdones.

—¿Y cómo vas a conseguirlo?

—¿Con un beso? –susurré.

—Ni se te ocurra intentarlo –respondió–. Solo hablaremos.

Llegamos a nuestro sitio favorito, un banco de madera, apartado de las miradas indiscretas, que solía estar vacío. Nos sentamos y le pasé la mano por el hombro.

—Entonces, ¿qué, puedo darte un beso? –pregunté.

Me miró como solía hacerlo cuando quería provocarme: con una mezcla de picardía e inocencia. Le gustaba hacerse de rogar, y yo lo sabía. Así que me acerqué muy despacio, le di un suave beso en la mejilla y esperé su reacción. Como no dijo nada, hice otra maniobra de acercamiento.

—León, no...

—Deja de protestar –dije–. Yo sé lo que tengo que hacer.

—Escucha...

Apreté mis labios contra los suyos. Cuando noté que intentaba liberarse, presioné con más fuerza.

—¡Quieto! ¡No sigas! –protestó.

Pero no le hice caso y la sujeté con fuerza.

—¡Ya está bien! –exclamó, poniéndose en pie–. ¡No seas bruto!

APRETÉ MIS LABIOS CONTRA LOS SUYOS. CUANDO NOTÉ QUE INTENTABA LIBERARSE, PRESIONÉ CON MÁS FUERZA.

—Pero, bueno, ¿a qué viene esto? ¿Qué te pasa?

—Me estabas haciendo daño.

—Déjate de tonterías. Siempre protestas por todo... Si no eres capaz de aguantar un morreo, pues lo dejamos y ya está.

—Es que me hacías daño –insistió–. Apretabas demasiado.

—¿Y qué querías? Las parejas se aprietan cuando se besan, ¿sabes?

—León, no es necesario que me tritures cada vez que me das un beso. Ya te lo he dicho muchas veces.

Cogí mi mochila y di un paso hacia atrás:

—Vámonos de aquí. Total, ya me has fastidiado la noche.

—Venga, no te enfades –dijo, intentando hacerse la simpática. Vamos a tu casa, que quiero saludar a tu madre.

—No sé si es un buen día...

—Claro que sí. Ya te he dicho mil veces que el cariño es la mejor medicina. Quiero animarla un poco.

Sus amables palabras apenas consiguieron apaciguarme, pero hablamos un poco durante el trayecto. Diana me estaba desconcertando.

Desde la calle vi que la luz del salón estaba encendida.

—Mi madre ha llegado –dije, y le di un pequeño azote en el culo para indicarle que podíamos entrar–. Subamos a ver cómo está.

A pesar de que no dijo nada, tuve la impresión de que aquella caricia no le había gustado, y me preocupé. Al fin y al cabo, era un gesto afectuoso que demostraba que entre nosotros había una gran confianza. Se lo había visto hacer miles de veces a mi padre, y mi madre nunca se había quejado.

Diana todavía tenía mucho que aprender, pero yo me encargaría de enseñarla.

IV

Cuando llegamos a casa, mamá estaba sentada en el sofá, quieta como una estatua, mirando la televisión como si se tratase de algo nuevo para ella. Verónica, que estaba a su lado, se levantó para dar un beso de bienvenida a Diana.

Me incliné sobre mamá y la abracé cariñosamente para demostrarle que la había echado mucho de menos.

—¿Te encuentras bien? –le pregunté.

—Sí, sí, ha sido una caída sin importancia. Un desmayo inesperado –respondió.

—¿No ha sido nada grave, verdad? –susurró Diana, dándole un beso.

—No, Diana, ya te digo que solo ha sido una caída desafortunada.

—Mamá, ¿quieres alguna cosa? ¿Necesitas que haga un recado o algo así?

—No, hijo, de verdad que no. Ya estoy bien y, cuanto antes vuelva a mi vida normal, mejor para todos –suspiró.

—Menudo susto nos ha dado –se lamentó Diana–. Se ha pegado usted un porrazo de mucho cuidado.

—Siento haberos alarmado. Intentaré que no vuelva a ocurrir. Te juro que lo intentaré.

A mamá nunca le ha gustado que nos preocupemos de ella; por eso dejé la conversación: no quería que pensara que la compadecía o algo así. Papá solía decir que ella siempre había sido una mujer muy fuerte, que podía con todo: *Parece frágil, pero es dura como una roca. No he visto una mujer que aguante tanto.*

Pero, a pesar de todo, yo la veía cada día más rota, más envejecida.

—Bueno, me voy a acostar –anunció al cabo de un rato–. Estoy agotada.

—¿No quieres cenar un poco? –preguntó Verónica–. Te conviene reponer fuerzas.

—No, hija, de verdad que no –contestó–. Hazles algo a ellos, que estarán hambrientos. Gracias por venir, Diana. Me alegro de verte.

Se levantó y empezó a caminar lentamente, con cuidado de no caerse. Papá se acercó por detrás y le dio un ligero azote en el trasero que, sin llegar a ser violento, la hizo tambalearse ligeramente.

—¿Estás mejor, eh? –bromeó, guiñando un ojo a Diana, que le respondió con una mirada fría como el hielo que papá interpretó como una aprobación.

Mamá no dijo nada y se encerró en su habitación, sin darnos tiempo a preguntarle si podíamos hacer algo más por ella. Papá trató de animarnos y propuso algo inusual en él:

—Diana, si te quedas a cenar, preparo yo la cena. Os voy a hacer unos huevos con chorizo que os vais a chupar los dedos.

—Pues, no sé si...

—Claro que sí –pidió Verónica–. Hace tiempo que no venías a vernos.

—Venga, anda, quédate –insistí.

—Id poniendo la mesa, que yo me ocupo del resto, venga –ordenó papá, dirigiéndose hacia la cocina.

Verónica, Diana y yo colocamos el mantel y los cubiertos mientras papá llenaba la cocina de humo. Un poco después, estábamos sentados alrededor de la mesa.

—Bueno, Diana, cuéntame cómo te van los estudios –preguntó papá, contento por haber sido capaz de demostrar que era un buen cocinero.

—Pues ni bien ni mal –dijo–. Lo que mejor llevo es lo de la literatura.

—¡No me digas que te entiendes bien con ese payaso de Salvador!

—Papá, por favor, no hables así de un profesor –pidió Verónica.

—Eso, que no hemos venido aquí a discutir, sino a pasar un buen rato –dije, tratando de crear buen clima.

—Oye, oye, ¿por quién me habéis tomado? –protestó papá–. Estáis hablando con uno de los mejores vendedores de fotocopiadoras del país. Soy un excelente relaciones públicas y sé comportarme, ¿vale?

Papá sabía hacer bien las cosas y fue capaz de crear un ambiente excelente, cosa que le agradecí mucho, porque, al fin y al cabo, Diana era mi novia y, posiblemente, iba a convertirse en mi esposa algún día.

—Tu futuro marido es un buen partido –dijo papá, mientras pelaba una naranja–. Ya sé que no es momento de hablar de boda y eso, pero tienes que saber que *Leonsegundo* va a ser una estrella de fútbol y va a ganar mucho dinero.

Tuve la extraña sensación de que a Diana aquellas palabras no le gustaron demasiado, aunque no dijo nada.

Eran las diez de la noche cuando se despidió.

—Te acompaño hasta tu casa –propuse–. Es un poco tarde.

—No, de verdad, no hace falta...

—¿Cómo que no hace falta? –dijo papá–. Un hombre no puede permitir que su novia ande a estas horas sola por la calle. Claro que te va a acompañar.

Ni Diana ni yo fuimos capaces de negarnos a cumplir la orden de papá.

Era una noche tranquila y apacible, de esas en las que parece que el mundo es un lugar seguro. Llegamos a su portal sin contratiempos y nos despedimos amigablemente.

—Gracias por venir a ver a mi madre –dije–. Te quiero cada día más.

—Yo también te quiero –susurró–. Me gustaría que las cosas saliesen bien entre nosotros.

—No debes tener dudas –dije, acercándome con delicadeza–. Hemos nacido el uno para el otro.

—Tienes que cuidar a tu madre –susurró inesperadamente–. Merece que os ocupéis de ella.

No sabría explicar el motivo, pero aquellas palabras me sorprendieron y no entendí a qué venían.

—¿Qué quieres decir? ¿Crees que no la cuidamos bastante?

—No es eso, solo quería explicarte que... Bueno, que una mujer, a su edad, necesita muchos mimos... Ya sabes...

—No te entiendo.

—Déjalo, no tiene importancia.

—Pues dame un beso y los olvidaré –propuse.

Después de muchos días de discusiones y peleas, conseguí darle un beso del que obtuve respuesta. Detecté que las cosas habían vuelto a la normalidad.

Cuando entró en el portal, estuve a punto de darle un azote en el culo a modo de despedida, cosa que ya había hecho varias veces, pero, inexplicablemente, me contuve. No sabría explicarlo, pero algo me dijo que no le iba a gustar. Mientras la veía alejarse tuve la sensación de que entre nosotros se había instalado una especie de barrera que nos estaba separando. Pero preferí no hacer caso a un estúpido sentimiento, que debió de ser producto del desánimo que me producía ver a mamá enferma. Un hombre ha de saber reponerse de los momentos de debilidad. Me prometí que la próxima vez le daría ese azote cariñoso en el trasero.

Lo cierto es que, durante la vuelta, me acordé de aquella frase que había leído en clase sobre lo del miedo de la madre y me sentí inquieto. Esas clases de Salvador me estaban empezando a poner nervioso. Además, eso de que Diana leyera en voz alta ante todo el mundo no me gustaba nada. Nada de nada.

Cuando volví a casa, me encontré con que papá y Verónica estaban charlando en el salón, con la televisión muy bajita.

—Tenemos que cuidar a mamá –sugirió Verónica, justo cuando llegué.

—Sí, claro, y traerle una enfermera –dijo papá, medio en serio, medio en broma.

—Si no la mimáis como se merece, me enfadaré de verdad –amenazó.

—¿Y qué harás si te enfadas? –preguntó papá, decidido a no dejarse amilanar.

Verónica tardó un poco en responder.

—Pues... es posible que no os vuelva a planchar una camisa en mucho tiempo, o que no coja una escoba –advirtió finalmente, dejándonos muy sorprendidos–. Os aseguro que estoy dispuesta a cumplir mi palabra.

—Desde luego, las mujeres estáis cada día más rebeldes –se quejó papá.

—No es rebeldía, es que ya no estamos dispuestas a dejar que no nos tratéis con cariño.

—Pero, ¿qué dices? Te he buscado un empleo, tienes un sueldo y haces con tu dinero lo que te da la gana. Vas y vienes sin dar explicaciones... Vives como una reina.

—Vives mejor que una reina –añadí, incorporándome a la conversación–. Te quejas de vicio. Lo que pasa es que está de moda molestar a los hombres con chorradas.

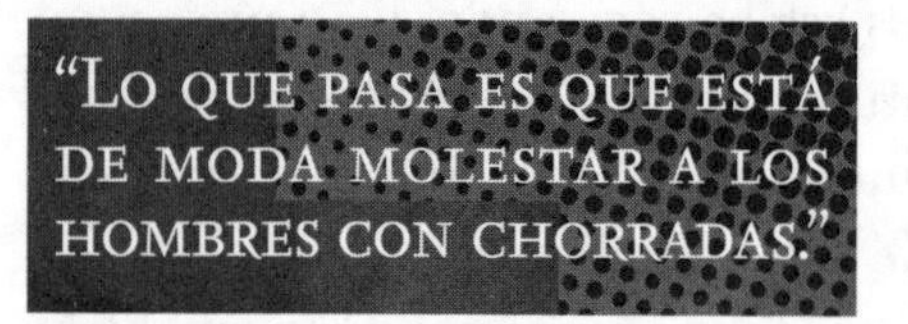

—Vivo como una reina... que barre, que recoge la basura, que se ocupa de que los cacharros estén limpios y de que el baño esté en condiciones...

—Oye, oye, que esto no es un hotel –rebatió papá, después de toser–. Alguien tiene que hacer las labores de la casa. Vamos, digo yo.

—Claro, las podríamos hacer entre todos –insistió–. Así tocaríamos a menos trabajo.

Papá hizo una pausa, conteniendo su ira, y, con toda tranquilidad, dijo:

—Bueno, esta noche no quiero discutir. Mamá acaba de volver de la clínica y no quiero disgustarla. Tengamos paz y tranquilidad.

Una de las cosas que siempre he admirado de él es su habilidad para hacer que las aguas vuelvan a su cauce. Es un verdadero diplomático.

V

Diana se sentó a mi lado y le acaricié la mano, como siempre, pero con más cuidado, para que no me saliera con tonterías de esas que se estaba inventando últimamente. A pesar de que era nuestra señal secreta para decirnos que todo iba bien, no hubo respuesta por su parte.

—¿Estás enfadada?

—Sí –respondió secamente.

—¿Por qué? Yo creía que habíamos hecho las paces...

—Ya, como si no hubiese pasado nada.

—Es que no ha pasado nada. Anoche, cuando nos despedimos, todo iba bien.

—Pues me ha salido un moratón en el brazo –dijo, levantando la manga de la camiseta–. Mira.

—Eso es una chorrada. Fue sin querer.

—Es casi un zarpazo. Y encima me dices que no tiene importancia.

—Eres una exagerada. En un par de días habrá desaparecido.

—O sea, que me doy un piquito con el chico que me gusta, me encuentro con un cardenal en el brazo, y encima soy una exagerada.

—¿El chico que te gusta? Novios. Tú y yo somos novios.

—Eso queda por ver –respondió–. Para llegar a eso tienen que pasar muchas cosas.

—No sé por qué te empeñas en decir que no somos novios –le reproché.

—Porque no lo somos –respondió rápidamente–. Estamos en fase de prueba. De momento, amigos, solo amigos.

—Vale, amigos... Pero con derecho a roce.

—Eso todavía te lo tienes que ganar. Hasta ahora no has hecho muchos méritos que digamos.

—¿Y qué tengo que hacer?

—Pues portarte bien. Ser delicado y cariñoso –sugirió.

—¿Es que no lo soy?

Señaló el cardenal y dijo:

—¿Esto es mimarme?

—No insistas con eso, que en dos días habrá desaparecido –contesté, francamente molesto.

—Pues cambia de forma de actuar –advirtió–. Podrías decirme cosas bonitas, que no lo haces casi nunca.

—Eso no va conmigo. Yo no soy un poeta, y a mí las palabras no se me dan bien.

—Pues ya sabes lo que dice Salvador: el que no habla es porque no piensa. Así que tú verás.

—Ese tío es tonto. No sabe lo que dice. Solo entiende de libros...

Salvador entró en ese momento e hizo lo de siempre: acercarse a su mesa, abrir la cartera y enseñarnos un libro.

—Buenos días a todo el mundo –anunció–. Hoy os voy a proponer una obra de teatro para interpretar a final de curso, en presencia de vuestros padres. He elegido una que me parece apropiada debido a la actualidad del tema. Aunque los personajes son adultos, me gustaría verla interpretada por vosotros, por gente joven.

—¿Qué obra es esa? –preguntó Ángel.

—*Un tranvía llamado deseo*. Está escrita por un dramaturgo americano...

—¡Tennessee Williams! –exclamó Patricio, cortándole en seco–. ¡Es un autor buenísimo!

—Cierto. Casi todas sus obras se han llevado al cine. De *Un tranvía llamado deseo* se hizo una versión interpretada por Marlon Brando, uno de los mejores actores del cine americano.

—Marlon Brando hizo *El padrino*, una película de gángsters –dije.

—Vaya, eso está bien. Me gusta que veáis buenas películas –dijo Salvador con satisfacción–. Eso facilitará las cosas.

Diana me miró con sorpresa:

—¿Cómo sabes que Marlon Brando hizo de mafioso? Es una película antigua... De los años setenta o algo así.

—Oye, que yo veo muchas películas, ¿sabes?

—Propongo que Patricio dirija la obra y que él mismo elija a los actores –dijo Salvador, sorprendiéndome–. Será una versión joven y moderna de un tema tradicional... Ahora, os voy a leer algunas escenas de la obra. Y después, si os parece, las comentamos.

Lo entendí enseguida: Patricio se había trabajado al profe y había conseguido lo que quería: demostrar que era un artista. Menudo listo.

—Pero, ¿de qué va la obra? –preguntó Diana.

—Es la historia de Stanley Kowalski, un hombre que se cree el rey de la casa. Tiene dominada a su mujer y pretende hacer lo mismo con su cuñada, que viene a vivir con ellos.

—Es una antigualla –se quejó Montes–. Eso no interesa a nadie.

—Pero el tema es actual –insistió Salvador–. Kowalski es como esos hombres que abusan de su fuerza para imponer su criterio... Escuchad esta frase que Blanche, la cuñada, dice sobre él: *¡Stanley actúa como un animal; tiene los hábitos de un animal! ¡Come como un animal, se mueve como un animal, habla como un animal! ¡Hasta hay algo en él de subhumano! ¡Tiene algo de simiesco, como esas láminas que he visto en los estudios antropológicos!...* ¿Qué os parece la definición?

—Es aterrador –soltó Esther–. Da verdadero miedo pensar que aún existan personas así.

—No entiendo por qué esa mujer le insulta de esa forma –dije–. Es un ataque directo contra los hombres en general.

—No te des por aludido –dijo Montes–. Tampoco se te parece tanto.

—Conmigo no te hagas el gracioso, que todavía te puedo partir la cara –le avisé, bastante enfadado.

—Bueno, bueno, haya paz, que aquí venimos a llevarnos bien –terció Salvador–. Quiero que os pongáis todos a trabajar en esta obra. Quiero que seáis actores, decoradores, peluqueros, estilistas...

Quiero que os unáis en un esfuerzo extraordinario para poner en pie una obra que os ayudará a comprender que hay cosas que no pasan de moda.

—Podéis contar conmigo –dijo Diana.

—Y conmigo –la apoyó Vanessa.

Todo el mundo se mostró dispuesto a colaborar.

—Y tú, ¿no vas a hacer nada? –me preguntó Diana.

—Claro que sí. Haré lo que queráis. Aunque sea para participar en una obra en la que se insulta a los hombres.

—Nadie insulta a nadie.

—Está bien, haré lo que quieras.

—Pues podrías demostrar un poco de entusiasmo.

—Y tú podrías decir que me perdonas –sugerí–. Me animaría bastante.

—Mira, por esta vez pasa –dijo–. Pero prométeme que no volverás a defender a ese Kowalski.

—Yo no soy como ese tipo, y tú lo sabes.

Nuestras manos volvieron a unirse bajo la mesa y me sentí reconfortado por esa muestra de cariño. La sujeté con fuerza y, mientras observaba de reojo a Patricio, me juré que nadie se interpondría entre nosotros. Diana era mía.

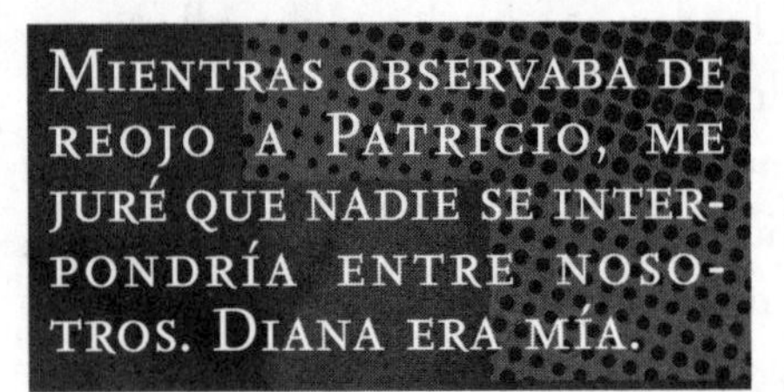

VI

Ángel, que me había propuesto ir al cine juntos, con las chicas, vino a mi casa a buscarme y fuimos caminando hasta el centro comercial en el que habíamos quedado.

—Vaya suerte que tienes con Diana. Está loca por ti –dijo mientras subíamos por las escaleras mecánicas–. Yo no consigo que Vanessa se fije en mí ni a la de tres.

—No sé, pero Diana últimamente está muy rara.

—Perdona, pero me parece que el que está cambiando eres tú. Te veo cada día más nervioso.

—¿Qué dices? Pero si soy un tío normal. Yo sigo siendo el de siempre.

—El de siempre pero un poco más autoritario –afirmó–. Te has endurecido.

—Es que ya no soy un niño. Ya he cumplido los dieciséis hace un rato, ¿sabes?

—No te hagas el machito conmigo, que al final harás todo lo que ella te pida.

—Ángel, no me extraña que Vanessa no te haga ni caso. Eres un crío. Deberías dejar de jugar al mecano y comportarte como un hombre.

—¿Igual que tú?

—No te enteras de nada... Venga, vamos a cambiar de tema, ¿vale? –le ordené cuando nos estábamos acercando a ellas, que ya estaban sentadas a una mesa del McDonald's.

Me acerqué a Diana y le di un beso en los labios, que, para mi gusto, se mantuvieron demasiado fríos y rígidos.

—¿Qué vamos a ver? –pregunté.

—Pues dejemos que hoy elijan ellas –propuso Ángel, que como siempre andaba en la luna.

—O sea, que iremos a ver una de amor, en las que no pasa nada y te aburres como una ostra –afirmé.

—Mira que eres poco romántico –dijo Vanessa–. Y luego dices que estás enamorado.

—Una cosa es estar enamorado y otra, ver películas estúpidas de gente enamorada que solo hace tonterías.

—Si queréis, podemos ir a ver esa de Schwarzenegger –propuso Diana–. Creo que en esta ocasión solo mata a cincuenta malos.

—Me da igual, veré la que queráis –acepté–. No quiero que luego me digáis que soy un bruto.

—Podemos ver la de...

—¿Y si en vez de ir al cine jugamos a los bolos? –propuse–. Un poco de ejercicio físico nos vendrá bien.

Todos estuvieron de acuerdo con mi idea así que, un poco después, entramos en la bolera. Nos dieron pista enseguida, ya que, a esas horas, no había casi nadie.

—Juguemos por equipos –dijo Ángel–. Yo voy con Vanessa. El equipo que pierda, paga la merienda.

Como siempre, Ángel se las había apañado para coger al peor compañero de equipo. En los bolos gana siempre el más fuerte; por eso no entendí que no quisiera hacer equipo conmigo. Supongo que se dio cuenta de su error cuando vio que Diana y yo ganábamos todas las partidas.

—No deberíamos ensañarnos con ellos –me dijo Diana, aprovechando que habían ido a buscar las bebidas–. Los estamos humillando.

—¿Tú crees?

—Deja ya de hacer tantos plenos e intenta perder un poco, que no te va a pasar nada. Al fin y al cabo, son nuestros amigos.

—Está bien, dejaré de humillarlos si me das un beso.

—Te doy un beso sin necesidad de hacer tratos –dijo, acercándose–. Te daré todos los besos que quieras si te portas como un tipo civilizado.

—¿Me estás diciendo que soy como un mono subhumano?

—Te estoy diciendo que te quiero y que me gusta ver cómo te comportas como un ser humano, como el chico que eras cuando te conocí el año pasado.

—Me estoy haciendo un hombre.

Me agarró por la cintura y me dio un beso como los que me daba antaño, cuando las cosas iban bien entre nosotros.

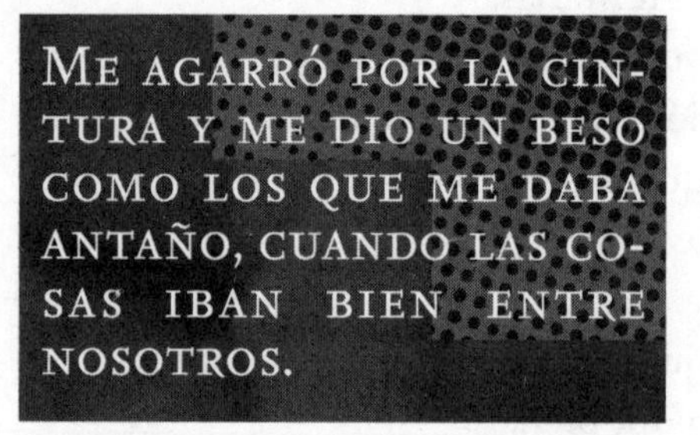

—Deja de pensar chorradas masculinas y piensa en ser un poco más sensible.

—¿Quieres que deje salir mi lado sensible?

—Quiero que dejes salir lo mejor que hay en ti, no lo peor.

—Y yo quiero que me digas que somos novios –le pedí.

—Estás obsesionado...

—¡Dímelo! Haz el favor de decirme que somos novios –le pedí, dándole un beso.

—Somos novios –susurró–. Somos novios.

Recuerdo esa tarde como una de las mejores de los últimos tiempos. Logré hacerme perdonar todas las tonterías que había hecho y noté que Diana volvía a ser la de siempre: una chica dulce, obediente y enamorada. Diana se convirtió en mi novia y yo me sentí muy feliz... Así que les dejé ganar un par de partidas.

VII

Como todos los días, después de ducharme por la mañana, entré en la cocina para tomar el desayuno que mamá me había preparado.

—¿Te encuentras bien? –le pregunté, y le di un beso.

—Esta noche casi no he dormido –respondió, arrastrando las palabras–. Me duele mucho la cabeza.

Yo sabía que la migraña, o como se llame, era difícil de curar, pero nunca la había visto tan mal como aquel día. Por primera vez, me preocupé seriamente por su salud.

—León, hijo, ¿no es un poco tarde? Si no te espabilas, llegarás tarde a clase –dijo, cambiando de tema, porque no le gustaba hablar sobre ella.

—Sí, mamá, pero no pasa nada: la primera clase es un petardo y el profesor es muy malo, así que iré a la de las diez.

—Deberías poner más interés en los estudios...

—Venga, mamá, no me agobies, que yo sé muy bien lo que hago, ¿vale?

—Está bien, está bien, perdona...

—Vamos, vamos, ya sabes que te quiero y siempre te hago caso.

—A quien deberías hacer más caso es a Diana. Ella sí que sabe lo que te conviene.

Entonces, justo en ese momento, Verónica entró envuelta en una horrible bata rosa.

—Vaya pinta que tienes. Así no vas a encontrar novio en la vida –me burlé–. Pareces una chica anticuada y aburrida. Estás feísima.

—Hombre, muchas gracias por el piropo –contestó–. Sienta bien escuchar cosas bonitas por la mañana.

—No le hagas caso –dijo mamá–. Ya sabes cómo es...

—Sí, ya lo sé. Ese es el problema, que ya lo sé –dijo, mientras abría la nevera y sacaba un par de yogures desnatados–. He oído toser y estornudar a papá toda la noche.

—Creo que ha cogido la gripe o algo así. Lleva unos días con mal cuerpo...

—¿Ha tomado algo?

Papá entró en ese momento, acompañado de su ya inseparable tos:

—Buenos días a todos –anunció–. ¿Está preparado el desayuno?

—Hola, papá, vaya tos que tienes –dijo Verónica–. Deberías tomar algo para curarte.

—A mí no me hace falta tomar nada. Me curaré yo solo.

—Eso es una tontería –dijo mamá–. Nadie se cura solo. Hay que tomar medicinas e ir al médico.

—Ya estamos con lo mismo. ¿No te he dicho mil veces que no necesito tomar porquerías para curarme? Parece mentira que a estas alturas no me conozcas.

—Allá tú. Ya verás cuando caigas enfermo en la cama y tengamos que llamar al médico –advirtió mamá.

—Sí, y entonces pedirás que te cuidemos. Querrás que te llevemos tu copita de brandy con un vasito de leche caliente –añadió Verónica.

—Eso es lo que cura de verdad los resfriados, no esas porquerías químicas inventadas para sacarte el dinero –afirmó–. El brandy es la mejor medicina para un hombre de verdad. ¿A que sí, hijo?

—Sí, papá. Tienes toda la razón. Un hombre sabe lo que le conviene para curarse.

—¿Veis como mi hijo está de acuerdo conmigo? Si es que

las mujeres os asustáis enseguida por nada. Venga, a ver el desayuno, que me tengo que ir a trabajar.

"EL BRANDY ES LA MEJOR MEDICINA PARA UN HOMBRE DE VERDAD. ¿A QUE SÍ, HIJO?"

—Voy a vestirme, que voy un poco tarde –dijo Verónica, dejando el envase de yogur vacío sobre la mesa–. Mamá, no sé si vendré a comer hoy. Tenemos mucho trabajo.

—¿Otra vez te vas a quedar sin comer? –dijo mamá–. Verónica, esto no puede ser. Si sigues así, te pondrás enferma.

—Estamos en época de auditoría y tenemos que ordenar las cuentas y...

—Me da igual, quiero que vengas a comer a casa todos los días. Cualquiera sabe las porquerías que estarás tomando –insistió mamá–. Además, últimamente has adelgazado mucho. Esa empresa te está matando.

—Yo creo que no tiene tanto trabajo como dice –dije–. Me parece que se queda a trabajar por gusto. Seguro que tiene alguno en la oficina que le gusta.

—Las mujeres siempre hacen lo que les da la gana cuando encuentran a un hombre que les interesa –comentó papá–. Pero si me entero de que te has enredado con algún tipo de tu oficina, me pondré serio contigo. No quiero que mis amigos piensen que mi hija es un pendón.

—Venga, papá, no digas tonterías –se defendió Verónica–. Estos días hay mucho trabajo, y por eso no puedo venir a comer. Además, yo no me lío con cualquiera.

Papá estornudó un par de veces.

—Estás empeorando –dijo mamá–. En unos días tendrás que quedarte en la cama. Ya lo verás.

—Me pondré bien, me pondré bien –afirmó–. No conseguirás que tome esos mejunjes que tienes guardados.

—Te crees supermán –dijo Verónica–. Pero eres un hombre normal, y una gripe no es ninguna tontería.

—Venga, dejadle en paz –dije–. Que sois unas pesadas.

—Menos mal que tengo a mi hijo, que me defiende. Los hombres nos entendemos bien.

—Sí, vosotros haceos los machotes, que ya verás cuando tengas cuarenta de fiebre y estés en la cama hecho polvo –advirtió mamá–. Ya veremos entonces quién se entiende bien.

—Ya te gustaría a ti verme en la cama enfermo –dijo papá–. ¿Cuándo he estado yo enfermo? ¡Nunca! ¡En más de veinte años de matrimonio no me has visto nunca enfermo!

—¿Y cuando lo de la úlcera? ¿No te acuerdas?

—Eso hace mucho tiempo. Y se curó sola, sin tomar nada.

—Me parece que tienes mala memoria –dijo mamá.

—Oye, a ver si ahora me vas a dejar en ridículo delante de mis hijos –protestó papá, en tono grave.

—Bueno, venga, cada uno a lo suyo –dijo mamá, cambiando de tema–. Que tenemos todos mucho trabajo.

—Yo creo que tampoco voy a venir a comer –dije–. Hoy tenemos entrenamiento y no me va a dar tiempo.

—¿Y qué vas a tomar?

—Cualquier cosa. Ya me compraré un bocata –comenté apresuradamente–. Hasta luego.

—Hasta luego, hijo. Y gracias por comprenderme. Si no fuera por ti, en esta casa me volverían loco –me despidió papá.

Cuando salí a la calle, noté que hacía mucho frío. Tanto que se me quedaron los huesos helados. Se avecinaba un invierno duro.

VIII

Mis amigos me estaban esperando en la cafetería que hay cerca del instituto, donde solíamos vernos antes de entrar en clase para preparar el plan del día.

Diana me vio y salió a mi encuentro.

—Hola, León, ¿cómo estás? –preguntó, mientras me rodeaba la cintura con los brazos.

—Bien, pero muerto de frío. Hace un día de perros. Creo que me estoy resfriando. En este estado no te podré besar.

—Esperaré a que te cures –dijo–. Cuídate, que parece que el tiempo va a empeorar.

—Bueno, ¿qué plan tenemos para hoy? –pregunté, sentándome a la mesa.

—Resolver lo de los exámenes de matemáticas –dijo Montes–. Tenemos que solucionar ese asunto; si no, no nos van a caber los suspensos en la cartera.

—Es que ese tío nos quiere pillar. La tiene tomada con nosotros –dijo Vanessa–. Yo no me puedo permitir el lujo de suspender.

—Pues tú no te quejes, que a ti te trata muy bien –soltó Ángel.

—Yo creo que todo consiste en estudiar un poco –dijo Esther–. No es tan difícil.

—Ya, eso lo dices tú, que se te da bien –dije–. Eres una empollona y quieres que seamos como tú.

—Deberíamos rayarle el coche a ese tipo. Para que aprenda a no presionarnos –propuso Montes.

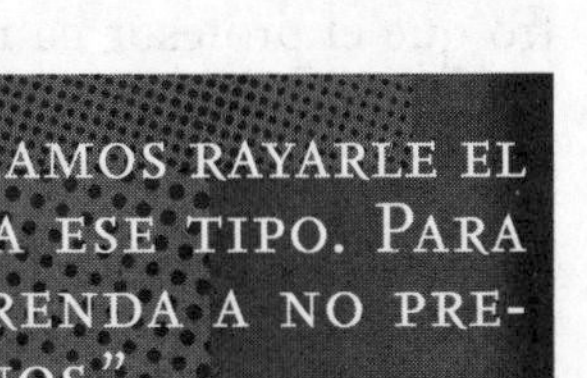

—Yo no quiero saber nada de esos rollos –reconocí–. No me apetece nada que le cuenten a mi padre que me he metido con un profesor.

—Pues dile a tu padre que venga él a hacer el examen por nosotros –propuso Ángel.

—Escucha, idiota, no te vuelvas a meter con mi padre o te parto la cara –le amenacé–. ¿Está claro?

—Bueno, hombre, perdona. Solo era una broma.

—Bromas con mi padre ni una, ¿entendido?

Después de unos segundos de silencio, Vanessa hizo una proposición:

—Yo tengo una idea...

—¿Que tú tienes una idea? Eso sí que tiene gracia... –me burlé.

—Pues sí, señor, tengo una buena idea. ¿O es que te crees que por ser chica no se me pueden ocurrir ideas?

—Pues cuéntala y lo veremos –la desafié–. Vamos a ver cómo son las ideas de las chicas. Venga, lista, anda...

—Pues he pensado que podemos ir a ver al director a quejarnos del profe.

—¿Y eso es una idea? Mira que eres tonta. Eso no servirá de nada. ¿O es que no sabes que se apoyan unos a otros?

—Yo estoy de acuerdo con Vanessa –dijo Diana.

—La clase comienza dentro de diez minutos y no hemos resuelto nada –avisó Ángel–. Creo que la hemos pifiado.

—Y encima hemos perdido el tiempo escuchando ideas que no sirven para nada –dije–. Y tú, Diana, ¿no tienes nada que decir?

—A mí lo que me interesa es lo de esa obra de teatro. Me gustaría interpretarla.

—¿Interpretar una obra antigua? Pero, bueno, ¿tú estás tonta o qué?

—¿Tonta? ¿Qué tiene de malo querer interpretar una obra de teatro que el profesor ha recomendado? A ver, listo, explícamelo.

—Pues que hay cosas más importantes que hacer en esta vida –comenté.

—Sí, por ejemplo, ir a verte jugar al fútbol y disfrutar observando cómo machacas a los del equipo contrario a golpes –dijo en tono de crítica.

Sus palabras me dolieron. Eso es algo que no soporto de Diana, que me tome por el pito del sereno.

—Escucha, niña pija... Es mejor que no me hables como a un idiota. Eres una nena fina que no sirve para nada y que quiere hacerse la importante sobre un escenario, para lucirse ante todo el mundo –dije verdaderamente enfadado–. Y eso no me gusta.

Me di cuenta de que mis palabras no le hicieron ninguna gracia. Supuse que me regañaría cuando estuviésemos a solas, pero yo sabía cómo consolarla para que se tranquilizara. Para algo había heredado la diplomacia de mi padre.

IX

La clase fue un desastre. El profesor hizo preguntas difíciles y no conseguimos pasar el control. Nos pilló en todas. Estaba seguro de que, a pesar de que mi padre no se suele meter demasiado en mis cosas, esto no le iba a gustar. Es muy estricto y no tolera las tonterías.

Pero, a pesar de todo, tenía que centrarme en el entrenamiento, que era lo más importante. Hacía tiempo que mi padre y yo habíamos decidido que lo mío era el deporte. Juntos habíamos acordado que debía estudiar y que iría a la universidad; después, me dedicaría profesionalmente al fútbol. Nuestro plan era perfecto.

> TENÍA QUE CENTRARME EN EL ENTRENAMIENTO, QUE ERA LO MÁS IMPORTANTE. HACÍA TIEMPO QUE MI PADRE Y YO HABÍAMOS DECIDIDO QUE LO MÍO ERA EL DEPORTE.

Tenía el chándal puesto y llevaba rato haciendo calentamiento, pero la verdad es que me sentía un poco desangelado. No sabía qué me pasaba.

—Vamos, León, que hoy te veo un poco apagado –gritó Kevin, el entrenador–. Estamos aquí para trabajar, ¿sabes?

—Está bien, está bien, ya me centro –dije.

—Venga, venga, que el domingo tenemos partido y todavía tenemos que organizar una estrategia –avisó–. Por cierto, ¿dónde está Ángel?

—No ha venido, ahora le ha dado por el teatro –le informó Montes, sabiendo que, en realidad, había ido de compras con Vanessa.

—Y luego os quejáis de que no ganamos. Con esta disciplina, estamos apañados.

Kevin era un buen tipo, pero no sabía hacerse respetar. Yo no le dije nada para no enfadarle, pero llevábamos un montón de partidos sin ganar y el ambiente era muy malo. Éramos un buen equipo y necesitábamos un entrenador de calidad.

—Este es el equipo más desorganizado y desmotivado que he visto en mi vida –gritó cuando llegamos a los vestuarios–. No tenéis espíritu de jugadores, parecéis matones de barrio. Y así no se gana. No tenéis la cabeza en el partido, solo pensáis en golpear al contrario.

—A ver si va a ser otra cosa –susurró Montes, que era uno de nuestros mejores jugadores.

—¿Qué has dicho?

—Que a lo mejor tenemos otro problema –insistió.

—Dime algún ejemplo.

—Pues, no sé... A lo mejor es que no estamos bien dirigidos –soltó finalmente mi amigo Montes.

—¿Qué has dicho?

—Ha dicho que a lo mejor necesitamos un buen entrenador –expliqué.

—Pensamos que necesitamos un buen entrenador –repitió Montes.

Kevin se quedó de piedra.

—Vaya, así que esas tenemos, ¿eh?

—Pues sí. Eso es lo que hay.

—O sea, que la culpa de todo la tengo yo –dijo, con leve tono compuesto de agresividad y decepción.

—¡Desde que nos entrenas, no ganamos!

—¿Queréis cambiar de entrenador? ¿Es eso lo que queréis?

—Queremos ganar, eso es lo que queremos. Contigo o sin ti –afirmó Emilio, que había estado callado todo el tiempo–. ¡Ganar! ¡Eso es lo que importa!

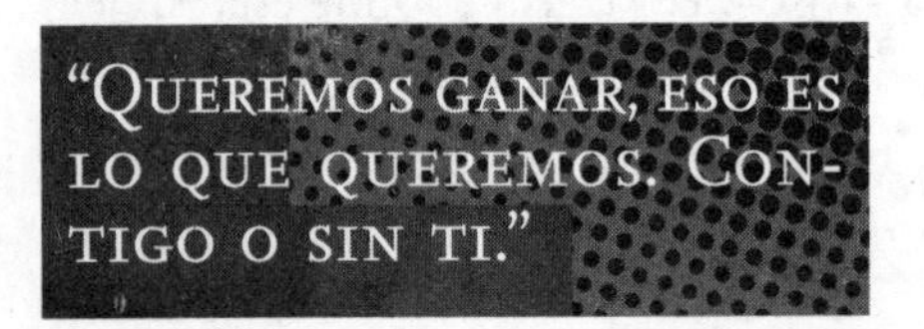

—O sea, que me estáis pidiendo que dimita.

—Nosotros no pedimos nada. Nosotros haremos lo que decida el Comité.

—Vaya, así que habéis expuesto quejas contra mí en el Comité, ¿eh?

—No somos los únicos. Los socios también se han quejado. En la próxima Junta se decidirá qué vamos a hacer –advirtió Emilio.

La cara de Kevin era un cuadro. El pobre se había derrumbado. No esperaba esto, pero la culpa era suya, por no haber sabido entrenarnos ni haber sido capaz de transmitirnos ilusión. Era un perdedor, y había que quitárselo de encima. Si permites que tu entrenador te lleve a la ruina es que eres un idiota. Así son las cosas.

X

Al día siguiente, después de clase, Diana y yo fuimos a tomar unas tortitas con nata a nuestra cafetería favorita.

—Creo que nos vamos a quitar a Kevin de encima –dije, mientras desparramaba el chocolate sobre las tortitas–. Le van a despedir.

No levantó la vista de su plato.

—Pero no hay problema; mi padre ya está buscando otro entrenador. Seguro que encuentra uno que tenga más agallas.

Siguió sin hacerme caso.

—Con el nuevo empezaremos a ganar. Las cosas van a cambiar, ya lo verás...

Era como si estuviera hablando solo.

—Oye, si no vas a hablar en toda la tarde...

—No me ha gustado nada lo que me has hecho –dijo.

—¿Yo? ¿Qué he hecho yo?

—Me has puesto en ridículo ante todo el mundo. Me has dejado como una idiota.

—Diana, por favor, no exageres. Ha sido una broma.

—No, no ha sido una broma. Ha sido un intento de dejarme mal. De hacer ver a todos que soy una imbécil, incapaz de tener ideas propias.

—¿Ideas propias? Pero si la idea de interpretar esa obra no es tuya. Te la ha sugerido Patricio, que me he enterado.

—Patricio está haciendo una lista de posibles actores. Y no tiene nada de malo que yo quiera interpretarla. Además, a lo mejor quiero ser actriz...

—¿Actriz? Pero, bueno, esto es el colmo. ¿Desde cuándo quieres ser actriz? Yo no tenía ni idea...

—Es asunto mío. Yo tomo mis decisiones y no te tengo que dar cuentas de los planes que tengo para mi vida.

—Vaya, ahora resulta que no soy nadie en tu vida.

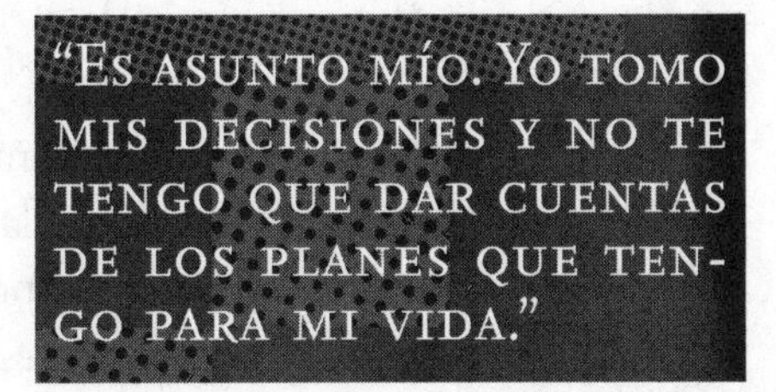

—Somos amigos y compañeros de clase.

—¡Somos novios! ¡Tú misma lo has dicho!

—¡Eso no te da derecho a decirme lo que puedo hacer con mi vida! –exclamó con rabia–. ¡Quiero ser actriz y lo seré!

—¡No te rebeles contra mí! ¡Me estás poniendo nervioso!

Entonces se calló. Diana me conocía muy bien y sabía cuándo era el momento de permanecer en silencio.

Con paciencia, corté un trozo de tortita y lo rebocé bien en chocolate. Mientras masticaba, la observé atentamente y me di cuenta de que estaba muy enfadada.

—León, tienes que tratarme con respeto. Te recuerdo que estoy contigo porque quiero.

—Estás conmigo porque me quieres.

—Estoy contigo porque quiero, y no te permito que me trates mal. No dejaré que pienses que me gusta que me ridiculices. No lo vuelvas a hacer.

—A mí no me amenaces.

—No es una amenaza; es una advertencia. No toleraré que me trates mal.

—Joder, ya me has fastidiado la tarde –dije mientras me levantaba–. Me voy. No tengo que aguantar tus amenazas. Además, no tengo el cuerpo para chorradas, tengo escalofríos.

Salí de la cafetería solo y muy enfadado. Diana estaba equivocada si pensaba que iba a soportar su ataques de histeria. No sabía con quién estaba hablando. Además, ella me necesitaba más que yo a ella.

Diana no era tonta y me alcanzó antes de haber llegado a la esquina:

—León, espera...

—¿Qué quieres? Ya no sé qué hacer contigo. Cuando te doy un beso o te acaricio, resulta que te hago daño. Cuando te digo algo, resulta que te dejo en ridículo ante los demás... Ya no sé cómo comportarme.

—Puedes intentar tratarme con más delicadeza. Tus caricias me hacen daño y tus palabras me humillan. Deberías tener más cuidado.

—Claro, debo tener cuidado cuando te toco y debo permitir que hagas lo que te dé la gana sin protestar –refunfuñé.

—Debes respetar mis decisiones.

—Claro, y yo no puedo decir nada.

—Me haces daño, me ridiculizas y quieres controlar mi vida. ¡Así no vamos a ninguna parte!

"YA NO SÉ QUÉ HACER CONTIGO. CUANDO TE DOY UN BESO O TE ACARICIO, RESULTA QUE TE HAGO DAÑO. CUANDO TE DIGO ALGO, RESULTA QUE TE DEJO EN RIDÍCULO ANTE LOS DEMÁS..."

Me acerqué, le puse la mano en el hombro y le di un empujón.

—¡Soy tu novio y no puedes hablarme así!

—Oye, oye... Me parece que no has entendido nada –dijo, dando un paso hacia atrás–. Te estás pasando.

Preferí no responder. Me di la vuelta y la dejé en plena calle. Menos mal que tuvo el buen juicio de no insistir.

XI

Cuando llegué a casa, escuché la tos de papá y los lamentos de mamá.

—¡No me molestes más con el *Frenadol* de las narices!

—Es por tu bien. Te estás poniendo peor y ya empiezas a tener fiebre –insistió mamá.

—Mujer, te he dicho mil veces que yo sé cómo curarme.

Entré en el salón y los dos dejaron de discutir.

—Vaya, menos mal que llegan los refuerzos –dijo papá al verme.

—¿Qué pasa?

—Pasa que este hombre es un testarudo –respondió mamá–. No hay manera de que me haga caso.

—Pero si solo tengo tos y algunos estornudos. No me hace falta tomar nada.

—No quieres cuidarte. No haces caso a nadie. Eres un testarudo –gritó mamá, indignada–. Mañana tendrás más síntomas... Te dolerá la cabeza, estornudarás, te subirá la fiebre y al final acabarás en la cama.

—Si papá dice que está bien, no deberías presionarle –dije–. Él sabe lo que hace.

—Así me gusta, hijo –comentó papá–. Así se comporta la gente con personalidad. Estoy orgulloso de ti.

—Sois iguales. Cabezones y duros de mollera –dijo mamá con resignación.

Antes de salir del salón, nos lanzó una mirada de reproche, como si estuviera cargada de razón.

—Hoy le hemos dicho a Kevin que dimita –dije–. Le hemos avisado de que el Comité le va a dar la liquidación.

—De eso me he encargado yo –explicó papá–. En la próxima Junta le destituiremos y nombraremos a Mario, el hijo de Lucio.

—¿Estamos seguros de que es bueno?

—Mira, hijo, Mario es el mejor entrenador del mundo. Con ese tío vamos a ganar todos los partidos que quedan este año.

—Algunos se preguntan si es una buena idea cambiar de entrenador a media temporada.

—Son idiotas. ¿Quieren que nos quedemos con ese incompetente de Kevin? ¿Prefieren lo malo conocido a lo bueno por conocer?

—No es eso, es que no conocemos a Mario. Solo sabemos lo que cuenta su padre. ¿Tú le conoces?

—Ni falta que me hace. Lucio me ha enseñado algunos vídeos y te aseguro que es el mejor entrenador que he visto en mi vida, de su categoría, claro. Acaba de volver de Argentina; durante los últimos años ha entrenado a algunos equipos de segunda. Mario sabe mucho y es la oportunidad que necesitas.

—Bueno, si tú lo dices.

—Déjate de dudas. Nosotros sabemos lo que tenemos que hacer. En la Junta de la semana que viene, votaremos a favor del cambio. Es lo mejor. Si seguimos con este inútil de Kevin, nunca ganaremos y nuestro equipo hará el ridículo en cada partido, y no quiero ver cómo la gente se ríe de ti. Piensa que, en el fondo, todo esto lo hago por ti.

—Lo sé, y te lo agradezco.

—*Leonsegundo*, serás el mejor jugador de fútbol del Buenavista. Te lloverán los contratos, ya lo verás.

—Papá, ahora que mamá no nos oye, creo que deberías tomar algo para curarte ese resfriado. A ver si te vas a poner enfermo precisamente el día de la Junta y no vas a poder ir a votar.

—Tienes razón. Te voy a hacer caso, para que luego no digas que no tengo en cuenta tus opiniones.

Verónica entró en casa en ese momento, y mamá salió a recibirla.

—Hola, hija, traes mala cara. ¿Te ha pasado algo?

—No, nada. Es que he tenido mucho trabajo.

—Cuando una mujer trae mala cara es que ha tenido un problema de amores –dijo papá–. Seguro que se trata de eso.

Verónica se refugió en la cocina con mamá. Cerraron la puerta y no pudimos oír lo que decían, pero papá me tranquilizó:

—No te preocupes. Ya sabes que les gusta andarse con secretos y cotilleos.

—Bueno, papá, tengo que hacer algunos deberes –me disculpé.

—Bien, bien, así me gusta, que estudies. Que un futbolista de éxito no tiene que ser un ignorante.

—Ah, por cierto, creo que las notas de matemáticas no van a ser tan buenas como esperaba –dije.

—Tranquilo, que ya hablaré yo con ese profesor –respondió papá, en tono comprensivo–. Tú sigue con lo tuyo, que yo me ocupo de todo.

XII

Entré en mi habitación dispuesto a hacer los deberes, pero enseguida me di cuenta de que tenía la cabeza bastante revolucionada y no me sentí capaz de centrarme en los ejercicios. Saqué algunos libros y cuadernos de mi mochila y los observé durante un rato como si fuesen objetos extraños y ajenos a mí; me pregunté si servían para algo.

La conversación con Diana me había dejado un poco trastocado. La verdad es que, a veces, no la entendía. No sé a qué había venido lo de esta tarde. Ella siempre había estado de acuerdo conmigo en todo. Y le gustaba cuando la defendía de algún energúmeno de esos que querían ligar con ella. Pero ahora parecía distinta. Traté de no dejarme dominar por la idea de que estaba pensando en salir con otro. No me iba a poner en plan celoso. Me convencí de que al día siguiente se le habría pasado.

Noté la vibración de mi teléfono móvil y pensé inmediatamente en que era una llamada de Diana. Pero me había equivocado: era Ángel.

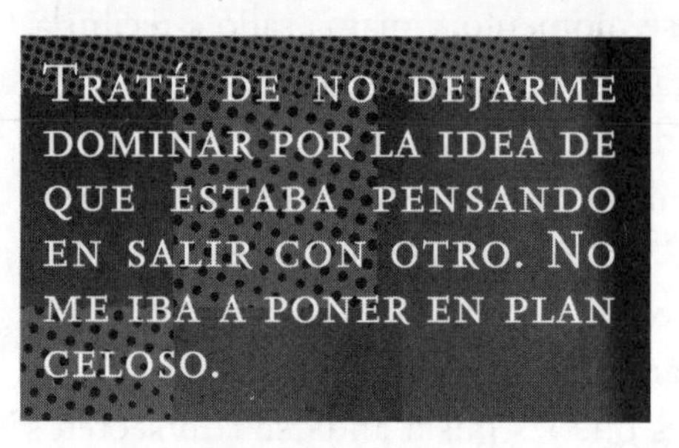

—Hola, Ángel, ¿qué quieres?

—Nada, solo saludarte. Me he enterado de que vais a cargaros a Kevin.

—Necesitamos a un buen entrenador. Vamos a contratar a Mario, el hijo de Lucio.

—¿Estáis seguros de que es la mejor solución?

—¡Pues claro que sí! Necesitamos ganar y con Kevin no vamos a ninguna parte. Mario es el mejor entrenador del mundo. Con ese tío vamos a ganar todos los partidos que quedan este año.

—Vosotros veréis lo que hacéis. Yo... creo que voy a dejar el equipo. He decidido que no voy a seguir jugando. Quiero trabajar en esa obra que Salvador nos ha propuesto, ya sabes, Un *tranvía llamado deseo*.

—¿Nos abandonas?

—No exactamente, es que me voy a dedicar al teatro, que me gusta más. Quiero actuar en esa obra.

—Lo podrías haber dicho antes.

—Chico, lo siento...

—Lo siento, lo siento. Pues no lo sientas tanto y sigue con nosotros.

—Es que me he enterado de que Vanessa quiere ser una de las actrices de la obra, ya sabes...

—Estás perdiendo el culo por esa chica –dije–. Así no la vas a conquistar. En cuanto notan que bebes los vientos por ellas, no te hacen ni caso.

—Prefiero estar cerca de ella, así tendré más oportunidades de...

—Tío, tú eres tonto. La única forma de seducir a una chica es poniéndose duro con ella...

—Eso no funciona con Vanessa. Ella es muy especial y prefiere a los chicos sensibles, que me he enterado.

—¿Quién te ha contado esa chorrada?

—Diana. Me ha explicado que las chicas prefieren chicos tranquilos y nada violentos.

Aquella afirmación me sacó de quicio.

—Claro, como el capullo de Patricio. A ese le voy a partir yo la cara... En fin, vaya tarde que llevo. Primero Diana, que se pone borde, y ahora tú, que nos abandonas.

—¿Qué te ha pasado con Diana?

—Nada, tonterías de chicas. Que se ha mosqueado conmigo porque dice que la he puesto en ridículo ante todo el mundo.

—Hombre, en realidad, no la has dejado en muy buen lugar, que digamos.

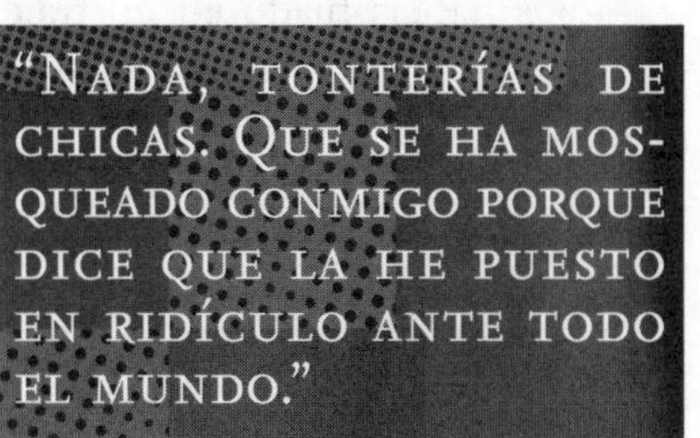

—Oye, pero ¿a ti qué te pasa? Primero abandonas el equipo ¿y ahora te pones del bando de las chicas?

—Bueno, León, reconoce que la has ridiculizado un poco.

—¿Qué dices? ¿Es que te vas a poner de su lado?

—Yo no me pongo del lado de nadie. En fin, ya hablaremos –se disculpó–. Adiós.

—Ya lo creo que adiós. Mañana hablaremos.

Cortamos la conversación y me quedé bastante sorprendido. Había que ver lo que fallaban los amigos. Ángel era una compañero de toda la vida que ahora me dejaba tirado... Y encima me criticaba por haber hecho una broma con mi novia.

Sin embargo, después de reflexionar un poco, llegué a la conclusión de que podía resultarme útil si se mantenía cerca de Diana. Podía pasarme alguna información valiosa. Así que decidí que debía invitarle a tomar algo y animarle a seguir con esa carrera de actor que pretendía emprender.

Mi padre, que era un buen vendedor habituado a enfrentarse con situaciones adversas, siempre decía que incluso de las cosas malas se puede obtener beneficios. ¡Cuánta razón tenía!

XIII

Ya era de noche cuando mamá abrió la puerta de mi habitación y me avisó de que la cena estaba puesta.

—Te estamos esperando –anunció.

Me levanté inmediatamente y me dirigí al salón. Verónica ya estaba sentada, y la sopera despedía un olor que era toda una invitación. Una buena sopa me iba a venir bien para quitarme ese frío que se me estaba metiendo en el cuerpo.

—¿Os habéis fijado en mi traje nuevo? –dijo papá, poniéndose ante la televisión, y haciendo como si estuviera desfilando–. ¿A que estoy hecho un *dandy*?

—Es precioso –dije, confirmando sus palabras–. Ahora venderás más fotocopiadoras que nunca.

—El mercado está cada día más difícil –dijo mientras se sentaba–. Las fotocopias no interesan a nadie. Las nuevas tecnologías nos están haciendo polvo.

—Es lógico –intervino Verónica–. Ahora casi todo el mundo tiene escáner, y las fotocopias casi no se usan.

—Eso es lo malo, que lo nuevo desplaza a lo clásico –se quejó papá–. Los tiempos cambian demasiado deprisa.

—Bueno, hay algunas cosas que no cambian –dijo Verónica–. Todavía hay gente enganchada a las viejas ideas, por eso no te preocupes...

—¿A qué te refieres?

—Pues eso, a lo que pasa con algunos hombres, que aún viven en el machismo más rancio y antiguo –explicó Verónica.–. Hoy han matado a otra mujer.

—Su marido la ha quemado –dijo mamá–. Ha sido horrible.

—¿Ya habéis estado viendo esos programas basura dedicados a lavarle el coco a las mujeres?

—Papá, no digas tonterías –dijo Verónica–. Si dicen que han matado a otra mujer, será verdad.

—Es cierto que hay algunos miserables que deberían estar encerrados, pero no conviene generalizar –se defendió papá–. Acabarán todos encarcelados, que es donde deben estar. Pero hay que reconocer que la televisión exagera un poco.

—Poca exageración cabe en la noticia de la muerte de una persona –insistió–. Si dicen que está muerta, es que está muerta.

—Pero hay que conocer los detalles. Tendrán que decir por qué la han matado –dijo papá, antes de empezar a toser–. Vamos, digo yo. Y no es que lo disculpe.

—Papá tiene razón –dije–. Cuando se da una noticia hay que analizar todos los aspectos. O acabaremos como los borregos, creyendo todo lo que nos cuentan aunque sea mentira.

—¿Mentira? ¿Es mentira que cada año mueren más mujeres a manos de sus maridos? –exclamó Verónica, un poco indignada–. Este año han muerto más de setenta.

—No decimos que sea mentira, lo que decimos es que deberían explicar los motivos de sus maridos –dijo papá en tono conciliador–. Eso es todo. Yo creo que no es mucho pedir.

—¿Y qué importan los motivos? –insistió mamá, apoyando a Verónica–. ¿Qué justificaciones puede tener un hombre para matar a una mujer? Si no está a gusto con ella, puede separarse, divorciarse, marcharse, o denunciarla o mil cosas más. Pero de ahí a que se crea con derecho a matarla...

> "¿Y QUÉ IMPORTAN LOS MOTIVOS? ¿QUÉ JUSTIFICACIONES PUEDE TENER UN HOMBRE PARA MATAR A UNA MUJER?"

—Es que algunas personas se merecen ciertos castigos –explicó papá–. Es un problema de disciplina. La disciplina es la base de todo.

—O sea, que, si tú no te portas bien, podemos castigarte –dijo Verónica.

Papá tuvo un ataque de tos que le obligó ir a la cocina hasta que se le pasó. Al cabo de un rato, volvió y, después de beber un poco de agua, intentó zanjar el tema:

—Con vosotras no se puede hablar. Siempre queréis tener razón –se quejó.

—Vamos a cambiar de tema –propuso mamá–. ¿Sabéis que vuestro padre ha decidido tomar algo para el resfriado?

—¿Ah, sí? –dijo Verónica–. Esa sí que es una buena noticia.

—Me he tomado una aspirina –informó papá–. Y lo he hecho porque mi hijo, que es el único que me comprende en esta casa, me lo ha pedido.

—Pues muchas gracias por decirnos que a nosotras no nos haces ni caso. Es igual, lo importante es que has empezado a cuidarte. Pero que sepas que una aspirina solo te quitará el dolor de cabeza: no te curará.

—¿Es que te dolía la cabeza? –pregunté.

—Le ha dolido durante toda la tarde –dijo mamá a Verónica.

—O sea, que te la has tomado por eso, y no porque yo te lo haya recomendado –dije.

—Por las dos cosas, hijo. Por las dos cosas.

A veces papá me preocupaba. Era un hombre duro como la roca, aunque en ocasiones se comportaba como un niño. No quería criticarle, pero no comprendía ese empeño en no tomar medicinas para curarse un resfriado que casi no le dejaba ni respirar.

—Verónica, te veo cansada –comentó mamá.

—No hemos parado de trabajar en todo el día –respondió mi hermana.

—Sarna con gusto no pica –dijo papá–. Te he encontrado un buen trabajo y haces bien en cuidarlo. Ahora tienes que demostrar que eres una buena profesional.

—No sé, he pensado en dejarlo. Tengo la sensación de que me explotan –comentó Verónica–. Lo estoy considerando.

—Eso es una tontería. Cuando se tiene un buen trabajo, no hay que dejarlo. Mírame a mí. Llevo veinte años trabajando en la misma empresa. Y aquí estoy, feliz y contento.

—Pero a veces te quejas –dijo mamá–. En más de una ocasión has dicho que querías dejarlo.

—¿Quieres dejarme como un idiota ante mis hijos? –rugió papá–. ¿Quieres contradecirme? ¡Cuando yo digo que es un buen empleo, es que es un buen empleo! Naturalmente que hay cosas difíciles de soportar, pero hay que saber aguantar. Hay que soportar las dificultades de la vida.

—Existe un límite para todo –dijo Verónica–. Hay cosas que no se deben aguantar.

—Solo los fuertes aguantan –afirmó papá–. Es un problema de fortaleza.

—Todos aguantamos cosas –intervine–. Pero hay un límite para todo.

—Voy a buscar el postre –anunció mamá, y se puso en pie–. Ahora vuelvo.

Apenas salió del salón, el presentador del telediario hizo un anuncio inesperado: *Nos acaba de llegar un comunicado de última hora que confirma un nuevo caso de violencia doméstica. Una mujer ha muerto a manos de su marido. Al parecer, después de una violenta discusión, el hombre le ha asestado varias puñaladas en el estómago. La policía le ha detenido cuando intentaba en vano quitarse la vida.*

Se hizo un silencio incómodo en la mesa hasta que mamá apareció de nuevo con la cesta de la fruta.

—No me apetece tomar nada más –murmuró Verónica–. Me voy a acostar, que mañana tengo que madrugar.

Lo peor de todo es que Diana no me había llamado ni me había mandado ningún SMS.

LO PEOR DE TODO ES QUE DIANA NO ME HABÍA LLAMADO NI ME HABÍA MANDADO NINGÚN SMS.

Segunda parte

XIV

Al día siguiente, entré en clase y me senté al lado de Diana, como si no hubiera pasado nada, intentando crear una buena relación de amistad y cariño. Yo estaba deseando volver a la normalidad y habría hecho cualquier cosa que me hubiera pedido.

—Hola, ¿cómo estás? –le pregunté.

—Un poco disgustada –respondió secamente.

—¿Hasta cuándo vas a estar enfadada? Creo que ya me has castigado bastante.

—No es un castigo, es que no estoy dispuesta a tener una relación con alguien que no me respeta. Eso es todo.

Soporté el rapapolvos con entereza, sin enfadarme. Esperé un ratito y volví a la carga:

—Está bien, a lo mejor me he pasado. Te pido perdón.

—No es cuestión de perdonar o de no perdonar. El problema es que no comprendes lo que pasa. Eso es lo grave.

—Ya te he perdido perdón, así que no insistas. Además, te prometo que no volverá a ocurrir. ¿Vale?

Tardó unos segundos en responder.

—Está bien, creeré en tus palabras –susurró.

Acaricié su mano por debajo del pupitre para demostrarle que podía contar conmigo. Ella comprendió el mensaje y respondió a la caricia. Justo cuando estaba a punto de decirle algo bonito, Patricio se acercó a nosotros:

—Esta tarde quiero explicaros lo de la obra de teatro. Podemos reunirnos en la cafetería. Necesito vuestra colaboración.

—Claro, Patri –respondió Diana–. Puedes contar con nosotros.

A mí no me gustaba esa confianza que había entre ellos. Patricio debía tener cuidado con lo que hacía y cortarse un poco, no fuese que un día se encontrase con la nariz partida por pasarse de listo. Diana era mi novia y nadie debía acercarse a ella más de lo debido.

—Creo que ha escrito una adaptación muy interesante –dijo Diana–. Está muy ilusionado con la obra. Habrá que apoyarle.

—Claro que lo apoyaremos. Para eso somos amigos, ¿no?

PATRICIO DEBÍA TENER CUIDADO CON LO QUE HACÍA Y CORTARSE UN POCO, NO FUESE QUE UN DÍA SE ENCONTRASE CON LA NARIZ PARTIDA POR PASARSE DE LISTO.

—Así me gusta, León. Además, te vendrá bien alejarte un poco de ese ambiente futbolero, que te tiene el seso absorbido.

—Oye, el fútbol es mi vida y el teatro me importa un comino. El fútbol es la realidad y el teatro es una gran mentira, donde todo está preparado y ensayado.

—¿Dónde has oído tú eso?

—Es una frase de mi padre. Y es la mayor verdad que he oído nunca.

Diana y Vanessa salieron de clase un poco antes para ir al baño, y quedamos en que nos veríamos en la calle. No me opuse, ya que sé que las chicas siempre necesitan estar un rato a solas para hablar de sus cosas, pero salí un poco enfadado por ese interés de Diana por ayudar a Patricio. ¿Qué le importaba a ella si Patricio quería dirigir una obra de teatro? Yo tenía más problemas con el equipo de fútbol, pero eso parecía no interesarle.

—¿Has visto qué bien se lo está montando Patricio? –dijo Ángel–. Todo el mundo quiere trabajar en su obra.

—Pero bueno, ¿tú eres tonto o qué? ¿Es que no ves que es un truco para ligar?

—¿Qué dices?

—Pues eso, que es un truco para ligar con las chicas. ¿Te parece bien que Vanessa trabaje en su obra?

—¿Qué tiene de malo?

—Desde luego, Ángel, pareces idiota. No te enteras de nada. Si Vanessa trabaja en la obra, tendrá que ensayar con ella y eso le facilitará...

—Oye, no digas chorradas. Además, todo el mundo sabe que a

Patricio no le gustan demasiado las chicas... ya sabes. Tú mismo has dicho en alguna ocasión que es un poco, ya sabes... de esos... vamos, que pierde aceite.

—No lo entiendes. Patricio es un pervertido que se hace a todo. Le gustan los chicos, pero también le gustan las chicas.

—¿Estás seguro?

—Tú hazme caso. Y recuerda lo que te digo. Si quieres quedarte sin Vanessa, déjala que trabaje en la obra.

Ángel se quedó confundido. Era un buen chico, pero un poco simple y bastante inocente. Si no se deshacía de esa ingenuidad, jamás conseguiría que Vanessa le hiciera caso.

—Jo, tío, me has dejado de piedra –susurró.

Salimos al patio y nos encontramos con Salvador, que estaba hablando precisamente con Patricio, Vanessa y Diana. Ángel y yo compartimos una mirada de complicidad y nos unimos a la conversación.

—Debes denunciarlo a la dirección del instituto –explicó Salvador–. Y si persiste, habrá que ir a la policía.

—¿Qué pasa? –pregunté–. ¿Algún problema?

—Sí, el chico que acosa a Vanessa ha estado por aquí. Está preocupada y tiene miedo.

—Eso lo arreglamos nosotros enseguida. Dime quién es y le parto la cara –afirmé.

—Las cosas no se solucionan de esa manera –explicó Salvador–. No puedes ir por ahí rompiendo cabezas.

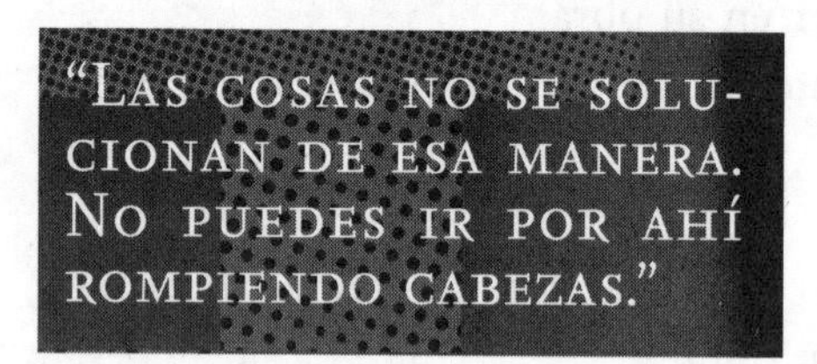

—Ese tipo es un mamón y hay que darle su merecido –insistí.

—Estoy de acuerdo con León –dijo Ángel–. Hay que defender a Vanessa.

—Yo creo que es mejor hacer caso a Salvador –terció Patricio–. La violencia no sirve para nada.

—Eso lo dices porque eres un blando y tienes miedo de defender a tu compañera de clase –solté–. No tienes valor para enfrentarte con él.

—León, esas no son formas de hablar –protestó Diana–. Yo estoy de acuerdo con ellos: la violencia no soluciona los problemas.

—La violencia sí soluciona los problemas, y si no ya verás cuando le ponga las manos encima a ese acosador de mierda. Ya verás como no vuelve a molestarla.

—Bien, chicos, yo me voy, pero insisto en que hay que denunciarlo. Y cuanto antes, mejor –aconsejó Salvador, dirigiéndose hacia su coche–. ¡Y nada de peleas, que no conducen a ninguna parte!

Sus palabras se perdieron entre el ruido del tráfico y nosotros nos dirigimos a la cafetería, para hablar de la obra de teatro. Ángel se acercó a Vanessa y le ofreció su apoyo, pero ella declinó la oferta y alegó que ya lo solucionaría por su cuenta. Era evidente que Ángel jamás conseguiría seducirla.

XV

Entramos en Palo Alto, la cafetería en la que nos reunimos habitualmente, y nos instalamos en nuestra mesa favorita. Montes llegó antes de que sirvieran las consumiciones.

—Estamos aquí para organizar lo de la obra de teatro –dijo Patricio–. He escrito el guión y necesito actores.

—Pero esa obra de teatro, ¿para qué la haces? –preguntó Ángel.

—Es para una actuación de fin de curso, que no te enteras –respondió Patricio, un poco molesto–. Además, ya os he dicho mil veces que quiero ser director de teatro. Ahora escuchad la historia...

—Oye, ¿pero quiénes van a ser los actores? –insistió Ángel.

—¿Te puedes callar un poco? –pidió Vanessa–. Déjale hablar de una vez, tío pesado.

—Bueno, pues, como os iba diciendo... la historia es un drama de cuatro personajes, dos hombres y dos mujeres.

—¿Puedo hacer yo un papel? –propuso Ángel–. Siempre he querido ser actor.

—No sé, tendrías que hacer una prueba –explicó Patricio–. Dentro de unos días, haré una convocatoria y podrás venir a hacer una lectura. Si lo haces bien, te daré la oportunidad. Bien, como os iba diciendo...

—¿Tienes ya a los otros actores?

—Quiero contar con Diana para que haga el papel de Estela –dijo Patricio.

—¿Yo? ¿Quieres que sea la protagonista de la obra?

—Una de las protagonistas. Serás la mujer de Kowalski. Creo que puedes hacerlo muy bien.

—Oye, esto es una broma o qué –dije–. Diana no es actriz y no sabe...

—Es una obra de aficionados y se trata solo de un función de instituto –explicó Patricio–. Y quiero que Vanessa haga el papel de Blanche, la hermana de Estela.

—¿La hermana alcohólica? –exclamó Vanessa.

—Es un papel importante –explicó Patricio–. Muy dramático, lleno de complejidades interpretativas.

—¿Quién hará el papel de Kowalski? –preguntó Ángel.

—Pues, he pensado en Montes.

—A ver si me entero bien. ¿Estás proponiendo que Montes sea el marido de Diana? –pregunté.

—Claro, pueden hacer una buena pareja –respondió Patricio.

—No me gusta que todo el mundo vea cómo otro chico hace de marido de mi novia –dije–. No me gusta ni un pelo.

—Pero, León, solo es una obra de teatro –dijo Patricio–. ¿Qué tiene de malo?

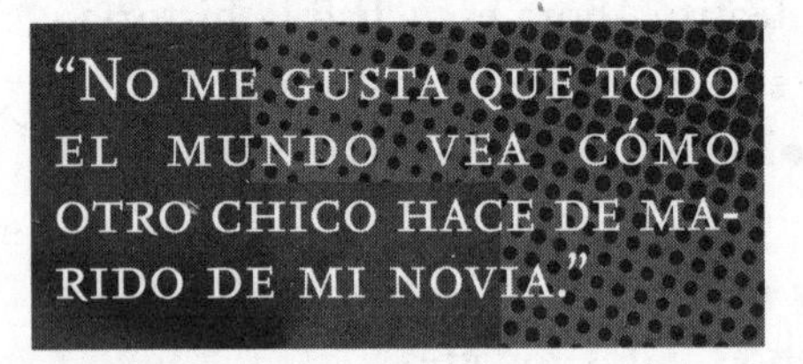

—Oye, que yo no quiero líos –dijo Montes, intuyendo el problema–. A mí me da igual.

—Pero a mí no –dijo Diana–. León no puede pedirme que renuncie a interpretar un papel con Montes o con cualquier otro.

—Yo soy el director y...

—Tú eres un listo –dije–. Te estás pasando.

—Pero, ¿de qué hablas?

—Si te parto la cara, ¿lo entenderías? –dije, poniéndome en pie–. Eres un imbécil y te la estás buscando.

Cerré los puños y me disponía a atizarle cuando Diana se interpuso:

—¡Estate quiero! ¡No seas bestia!

—A este le quito yo las ganas de ligar contigo –le advertí–. Es un fantoche y me tiene más que harto.

—Si le pones la mano encima, te advierto que no volveré a dirigirte la palabra –me amenazó Diana–. ¡Nunca más!

—¿Ves lo que has hecho? ¿Lo ves? –grité.

Patricio me miró sin decir nada. Estaba pálido como la cera y tenía los ojos muy abiertos. Estaba muerto de miedo.

—Venga, León, no es para ponerse así. Solo es teatro –dijo Ángel.

—¡No quiero que Diana trabaje en esa obra! –gruñí.

—¡No me digas lo que tengo que hacer! –protestó Diana–. ¡Tú no mandas en mí!

—¡No harás esa obra!

—¡Haré lo que yo quiera! –respondió.

Fulminé a Patricio con la mirada y salí de la cafetería totalmente alterado. En cuanto le pillara a solas se iba a enterar. Esta me la iba a pagar. A mí nadie me deja en ridículo de esta manera.

EN CUANTO LE PILLARA A SOLAS SE IBA A ENTERAR. ESTA ME LA IBA A PAGAR. A MÍ NADIE ME DEJA EN RIDÍCULO DE ESTA MANERA.

Ángel vino detrás de mí e intentó tranquilizarme.

—Venga, hombre, que no es para tanto –dijo–. Que solo es una obra de teatro.

—Ya. Una obra en la que mi novia hace el papel de esposa de otro. A ver si te crees que soy idiota.

—No eres idiota, pero es que la historia es así. Y ya sabes que Patricio ha leído esa obra un montón de veces. No debes tomarlo como algo personal.

—Lo tomaré como me dé la gana –respondí–. Y ahora déjame

en paz. Ya hablaremos mañana. Me voy a jugar al fútbol, que es lo que me gusta. El teatro es una porquería.

Después de dar unos pasos me detuve y le dije:

—Y tú, idiota, ya verás cuando Vanessa te empiece a decir que Patricio le parece un tío sensible y que deberías aprender de él... Y que tu estilo no le gusta. Ya veremos qué dices entonces.

Le dejé estupefacto con mis últimas palabras. Me marché sin mirarle siquiera. Era un ingenuo incapaz de ver las malicias de algunos para salirse con la suya. ¡Pobre idiota!

XVI

Estaba a punto de entrar en el portal de mi casa, cuando papá me llamó desde la puerta del bar de Lucio:

—¡*Leonsegundo*! ¡Ven aquí!

Sin pensarlo dos veces, y a pesar de que era tarde, me acerqué y le di una palmada en el hombro.

—Pasa a tomar algo con nosotros. Estamos hablando de la sustitución de Kevin. Mario está con nosotros.

Entré en el bar, y algunos vecinos me saludaron. El ambiente estaba muy cargado debido al humo de los fumadores y a la pequeña cocina, de la que no paraban de salir raciones a gran velocidad.

—Papá, esto no te conviene para tu catarro –le advertí–. Vas a empeorar.

—No empieces como tu madre –protestó–. Yo sé lo que tengo que hacer. Anda, ven y siéntate aquí.

Alrededor de la mesa estaban todos los que tenían poder de decisión en el club. Enseguida me di cuenta de que Mario iba a ser el próximo entrenador.

—Mario, te presento a mi hijo, *Leonsegundo*, del que ya te he hablado.

—Así que eres la futura estrella del fútbol, ¿eh? –dijo, estrechándome la mano–. Tranquilo, chico, entre tu padre y yo te vamos a convertir en un buen partido. Ya lo verás.

—Pues nada, Lucio, que estamos de acuerdo –dijo mi padre–. En la próxima Junta del domingo, votamos a favor de Mario. Pero tendremos que votar todos, ¿eh?, para que la cosa sea por unanimidad y luego nadie pueda decir que algunos le teníamos ojeriza. ¡Todos a una!

—Es que yo no estoy muy convencido –explicó Aurelio, que es vecino nuestro–. Kevin no es tan malo como parece.

—Pero, ¿qué dices? ¡Ese tío es una patata! –exclamó mi padre–. Es el entrenador más blando y más débil del mundo.

—¿Y eso es malo?

—Ya me dirás. Un entrenador que no es capaz de inculcar valores de hombría a los chicos no creo yo que sea bueno.

—Te equivocas. Un entrenador debe enseñar técnicas de juego –insistió Aurelio.

—Kevin está desfasado y tenemos que renovarnos –dijo Bernardo.

—Yo creo que no hay que darle tantas vueltas. Votamos todos a Mario y ya está –añadió papá.

Observé la cara de Aurelio y comprendí que las cosas no iban a ser tan sencillas como parecían.

—Yo no votaré a Mario –dijo finalmente Aurelio–. A mí me parece que...

—¡Mira que eres aguafiestas! –exclamó mi padre–. Siempre llevando la contraria.

—Oye, León, no te pases conmigo –respondió Aurelio–. Que yo sé muy bien lo que tengo que hacer y nadie me da órdenes.

—Ni órdenes ni nada. Es que te gusta fastidiar a la gente. Siempre haces lo mismo.

—León, no me calientes. Que ya sabes que conmigo no puedes, así que no insistas. ¡Votaré a quien me dé la gana!

Mi padre se levantó, dispuesto a enfrentarse con él. Aurelio ni siquiera se inmutó.

—Un momento –dijo Mario, interponiéndose–, yo solo quiero ayudar a que el Buenavista gane y se convierta en un equipo de verdad. Pero si hay problemas, yo me vuelvo a Argentina y ya está... Todos tranquilos.

—¡Tú te quedas aquí a entrenar al Buenavista! –exclamó papá–. Serás el entrenador cueste lo que cueste.

Traté de pacificar el ambiente antes de que pasaran cosas de las que luego nos íbamos a arrepentir:

—Aurelio, Kevin es un buen entrenador, pero no ha conseguido los objetivos –le expliqué, intentando hacerle razonar–. Ha llegado la hora de tomar decisiones. Necesitamos mejorar nuestra técnica y lo sabes perfectamente.

—Lo dices para defender a tu padre –me respondió en tono agresivo–, pero no sabes lo que dices. Ni siquiera conoces la técnica de Mario, para hablar así.

—¡A mi hijo no le hables así! –gritó papá, lanzándose a por él.

—¡Eh! ¡Basta! ¡Aquí no se viene a pelear! –exclamó Lucio, interponiéndose–. ¡A ver si tengo que llamar a la policía para que ponga orden!

Aurelio, que ya estaba en guardia, cogió su copa de coñac y dio un último trago. Después, se plantó ante mi padre:

—A ver si tienes lo que hay que tener para hacerme votar por Mario –dijo en plan provocador–. Veamos quién tiene más redaños.

Papá le miró furiosamente y, antes de que Aurelio pudiera reaccionar, le dio un empujón. Entonces, Aurelio le lanzó un puñetazo y los dos se enzarzaron en un tremendo cuerpo a cuerpo.

Todo el mundo intentó separarlos, pero costó mucho trabajo debido a la fortaleza física de ambos. Finalmente, Lucio impuso la paz y pidió a Aurelio que abandonara el local.

—¡Votaré a quien me dé la gana! –advirtió éste, antes de salir a la calle.

Mi padre tuvo un ataque de tos y pidió un vaso de agua. El ambiente estaba muy caldeado, y la gente mantuvo la boca cerrada.

—Siempre tiene que haber una oveja negra que lo fastidia todo –se lamentó papá antes de sentarse de nuevo.

Poco a poco el ambiente se fue tranquilizando y papá recuperó su serenidad habitual. Por mi parte, hice lo posible para pacificar los ánimos y estuve simpático con todo el mundo. Incluso eché un pulso amistoso con Mario, que de esta manera pudo demostrar su superioridad.

—Eres un chico fuerte –dijo, para dejar claro que él era un entrenador que sabía lo que me convenía–. Te voy a convertir en una estrella.

Luego, cuando salimos del bar para ir a casa, noté que hacía mucho frío y que tenía el cuerpo un poco destemplado. Incluso estornudé un par de veces.

XVII

Los últimos acontecimientos habían enrarecido el ambiente y yo me sentía bastante incómodo: Diana no me hacía caso y Patricio apenas me dirigía la palabra. Además, entre Aurelio y papá se había creado una tensión difícil de sobrellevar y el ambiente en el vecindario era irrespirable. En casa las cosas no iban mejor, ya que mamá no estaba bien y Verónica estaba cada día más rara y encerrada en sí misma.

En casa las cosas no iban mejor, ya que mamá no estaba bien y Verónica estaba cada día más rara y encerrada en sí misma.

Una noche, mientras cenábamos, la vi muy desanimada y le pregunté:

—Verónica, ¿te pasa algo? Tienes mala cara.

—Es lo de siempre –respondió con desgana–. Cosas del trabajo.

—¿Todavía sigues con eso? ¿Algún compañero que no te hace caso? Ya te he dicho muchas veces que, si quieres interesar a los hombres, deberías ponerte una ropa un poco más sexy.

—Deja de decir tonterías –soltó mamá–. Tu hermana tiene otros problemas más serios que llamar la atención de un hombre.

—Sí, la depilación, que le cuesta cada día más trabajo –dije, en tono de broma–. Las mujeres peludas no gustan a los hombres. Les recuerdan a los monos.

—¡Mira que eres bestia! –exclamó Verónica–. En vez de fijarte en mí, deberías mirarte a ti mismo. Tú sí que recuerdas a los monos.

—¿Yo, un mono? Vaya idiotez. Tengo un cuerpo atlético, y las chicas del instituto se mueren por mis huesos.

—No lo digo por el cuerpo, sino por el cerebro. A ver si un día de estos lo desarrollas un poco –dijo.

A mamá no le gustaba vernos discutir, así que dejé la disputa para otro momento. Pero, de repente, me di cuenta de que cojeaba.

—¿Qué te pasa en la pierna? –pregunté.

—Nada. La artrosis, que no tiene piedad conmigo y sigue su curso –dijo con una voz lamentable–. Es una cruz que llevaré conmigo hasta que me muera.

—Venga, mamá, no hables así. Debes ir al médico para que te examine, seguro que tiene algo para aliviar tus dolores. A lo mejor, Benito...

—Benito dice que ya es demasiado tarde para encontrar un remedio –respondió Verónica–. Hemos ido tantas veces que ya no puede hacer más de lo que hace.

—Pues habrá que cambiar de médico –dije–. No se puede seguir con un médico inútil. Si es un incapaz, que lo jubilen.

—No sé, a lo mejor soy yo la que tiene que cambiar de enfermedad –explicó–. A lo mejor ya no puedo seguir llevando esta carga.

—Oye, no se puede hablar así. Somos la familia Gallardo, y los Gallardo no hablamos de esta manera. Vamos, tienes que levantar ese ánimo.

Verónica me miró como si hubiera dicho alguna tontería.

La puerta se abrió y entró papá, acompañado de su inseparable tos:

—¡Hola, familia! ¡Aquí llega el rey de la casa!

Entonces, ocurrió algo que me llamó la atención: mamá y Verónica cambiaron de expresión y sonrieron, tratando de disimular su malestar. No dije nada, pero me sorprendió enormemente.

—¿Qué tal estamos? –preguntó papá, entrando en la cocina.

—Bien –respondieron casi a la vez–. Como siempre.

—No es verdad –dije–. Hace un momento me decías que...

—*Leonsegundo*, tienes que aprender a no hacer caso a las quejas de las mujeres –dijo papá–. Siempre se lamentan de todo.

—Pero si mamá me acaba de decir que...

—Vamos, chico, haz caso a tu padre, que tiene más experiencia que tú.

Ellas me miraron, como pidiéndome que me callara.

—Ven, que tengo que hablar contigo –dijo papá, sacando una cerveza de la nevera–. Quiero contarte la estrategia que vamos a seguir para sustituir a ese inútil de Kevin.

Un poco desconcertado, le seguí hasta el salón, donde nos sentamos frente a frente. Antes de que empezara a hablar, comencé a estornudar.

—Creo que me estoy contagiando de tu resfriado –dije.

—No es grave. Ya te enseñaré cómo se arregla. Los Gallardo somos fuertes y no nos amilanamos con una simple gripe.

XVIII

La Junta extraordinaria para destituir a Kevin se celebró en los vestuarios del club, un pequeño local situado en el campo del Buenavista. Mi padre y sus amigos se habían preparado a conciencia para ganar la partida.

Reconozco que, a pesar de que aquella decisión iba a beneficiarme, tenía un cierto mal sabor de boca. La idea de sustituir al buenazo de Kevin no me gustaba demasiado porque, en el fondo, le tenía un cierto aprecio. Además, no estaba demasiado convencido del estilo de Mario.

RECONOZCO QUE, A PESAR DE QUE AQUELLA DECISIÓN IBA A BENEFICIARME, TENÍA UN CIERTO MAL SABOR DE BOCA.

—Bien, estamos aquí para celebrar una Junta extraordinaria que tiene un punto único: la propuesta de cambio de entrenador... Así que se abre la sesión y se procede a votar –anunció papá, que era el presidente–. A ver, los que estén de acuerdo con el cambio, que levanten la mano.

Salvo Aurelio y otros dos, todos los demás levantaron el brazo.

—Bien, doce a favor y tres en contra. ¡Por unanimidad, queda aprobado el cambio! Ahora se va a votar el candidato... A ver, los que estén a favor de la candidatura presentada por Mario, que levanten el brazo.

El resultado fue exactamente igual.

—Doce a favor y tres en contra. ¡Queda aprobada la contratación del hijo de Lucio! ¡Se levanta la sesión!

Algunos aplaudieron, otros silbaron, pero no hubo protestas y la Junta concluyó con éxito.

—Ahora, podemos ir al bar de Lucio para celebrar el éxito de esta Junta –propuso papá–. Vámonos para allá, que aquí hace un frío que pela.

Salimos a la calle y nos dirigimos al local. La verdad es que me sorprendió la rapidez con que se celebró la reunión.

—Es mejor así –me explicó mi padre, entre golpes de tos y estornudos–. Cuanto antes se tomen las decisiones, mejor para todos.

Entramos y nos sentamos en la mesa del fondo, la que estaba reservada para los del club.

—Enhorabuena –dijo el dueño del bar–. Ya me he enterado de que los que queríais el cambio habéis ganado.

—¿Acaso lo dudabas? –preguntó mi padre–. ¿Acaso no sabes que siempre me salgo con la mía?

—León, ya te conocemos y nadie duda de tu eficacia –reconoció Lucio–. ¿Qué os pongo?

—A mí, un brandy –pidió papá–. Que es lo único que puedo tomar para que se me quite este maldito resfriado.

—Un *Aquarius* para mí –pedí.

Mientras Lucio se alejaba, papá se acercó y me puso la mano en el hombro:

—¿Qué pasa *Leonsegundo*? ¿Estás contento o no? ¡Ves cómo tu padre siempre cumple lo que promete! Ya verás cómo a partir de ahora las cosas van a mejorar.

—Sí, papá. Ya sé que siempre consigues lo que quieres. Espero que hayamos tomado una buena decisión.

—Pues claro que sí, hombre –afirmó–. Ni lo dudes siquiera.

—¡Por el nuevo entrenador! –brindó papá, levantando su copa de brandy–. ¡Por el éxito del Buenavista Club de Fútbol!

Todos le coreamos y brindamos por el triunfo de nuestro equipo. Mis dudas empezaron a disiparse y me sentí alegre. El ambiente me había contagiado y tuve la certeza de que las cosas iban a mejorar.

Sin embargo, la expresión de Aurelio me inquietó. No por temor a alguna venganza, sino porque, en el fondo, compartía con él la idea de que Kevin era un buen entrenador. A pesar de que no ganábamos, su técnica era buena y, con un poco de tiempo, habríamos obtenido mejores resultados.

Pero lo peor es que tenía el convencimiento íntimo de que mi padre lo sabía. Y empecé a hacerme extrañas preguntas. ¿Por qué se había empeñado en despedir a Kevin?

—¡Atención, aquí llega el nuevo entrenador! –exclamó papá–. ¡Pido un aplauso para él!

Mario lanzó una enorme sonrisa de satisfacción y consiguió el mejor aplauso que he oído en mi vida.

—Gracias, muchas gracias –dijo, muy satisfecho.

—Podrías pronunciar algunas palabras –pidió papá–. Convéncenos de que hemos elegido bien.

Mario se acercó a la barra y pidió una caña, que Lucio sirvió inmediatamente. Después de tomarla de un tirón, se subió a una banqueta...

—Antes de nada, quiero dar las gracias a los que me han votado. Y quiero decir a los que no lo han hecho que se han equivocado, que en el fútbol hay que tomar decisiones contundentes y que lo único que cuenta es ganar y que, para ganar, hay que actuar con firmeza. Y yo os prometo que, a partir de ahora, el Buenavista va a ser un equipo ganador.

Los aplausos le interrumpieron.

—¡Voy a convertir a estos chicos en máquinas de meter goles! –prometió–. ¡Voy a lograr que todo el mundo sepa que el Buenavista es un equipo de hombres duros, con los que no se juega! En poco tiempo conseguiremos que comprendan que es mejor apartarse cuando un jugador del Buenavista viene de frente. Los que se opongan a nuestros jugadores serán arrollados sin piedad.

Los aplausos se hicieron mucho más fuertes y entusiastas.

—Y ya está bien de cháchara. Lo nuestro es ganar. Así que mañana empiezan los entrenamientos.

Mario no era un especialista en discursos, pero sabía decir lo que la gente quería oír. Su discurso, que no fue muy profundo, resultó altamente eficaz y recibió muchos abrazos.

Se había metido a la gente en el bolsillo. Había pronunciado las palabras mágicas y se había ganado la confianza de todo el mundo. Era evidente que empezaba una nueva etapa en la historia del Buenavista Club de Fútbol.

Pero no fue hasta varias horas después cuando empecé a darme cuenta de que Mario y papá se parecían en algo: en su elocuencia para decir las cosas.

Formaban una buena pareja y yo iba a aprender mucho de ellos. Era una suerte tenerlos como profesores.

XIX

Diana llevaba varios días sin llamarme y, cada vez que nos veíamos en clase, se mostraba demasiado esquiva para mi gusto. En el instituto se hablaba mucho de la obra de teatro, y Patricio se había convertido casi en una estrella, lo que me reventaba.

Salvador nos seguía dando la paliza con sus clases de literatura y con que todo lo que nos pasaba, según él, estaba en los libros.

—Los grandes escritores han escrito sobre nuestras angustias, deseos y necesidades –dijo un día–. Por eso es necesario que los leáis: en ellos encontraréis ayuda y comprensión.

Aquel día estuve a punto de salir de clase.

—¿Qué opinas de esa estupidez? –le pregunté a Diana–. ¿Crees que algún poeta ha escrito sobre nuestro amor?

—León, no es necesario que seas tan irónico.

—¿Te imaginas que alguien hubiera plasmado nuestra historia de amor? Todavía me acuerdo de la primera vez que salimos juntos. ¿A que fue un día especial?

—Venga, tonto, que este no es el momento de ponerse tiernos. Estamos en clase y...

—¿Qué más da? ¿Es que crees que cuando estamos en clase no te quiero?

—León, no seas pesado.

—Te has ruborizado. Eso es porque te has acordado de aquel día en que te di un beso. El primer beso. ¿A que es eso?

—Pero, bueno, ¿serás tonto? No me hagas pasar vergüenza...

—Si quieres, luego podemos ir un rato al parque. A lo mejor te doy otro beso de esos que a ti te gustan, suaves como...

—No puedo, tengo que ensayar.

No logré convencerla de que dejara el teatro. Pero me preocupó ver que tenía el seso absorbido por esa maldita obra. Patricio le había comido el coco hasta un extremo que no me gustó nada.

—Otro día –dijo–. Un día en el que no haya ensayos.

Por la tarde, cuando terminó la clase, Diana se marchó con Vanessa, Montes y Ángel, así que me quedé solo. Como no había entrenamiento, estuve jugando un rato a las máquinas, lo que me ayudó a controlar mi malhumor.

Cuando me dirigía a casa, me encontré con Ángel, que venía bastante abatido.

—¿Qué pasa, no estabas en el ensayo?

—Hoy no me ha salido bien –respondió–. Van a hacer una escena con ellos tres y me han mandado a casa.

—¿Y dejas sola a Vanessa? Mira que eres tonto. Anda, venga, vamos a jugar un futbolín.

Le puse la mano en el hombro y me lo llevé cariñosamente hasta los billares del barrio. Sacamos unas latas de *Aquarius* y nos liamos a jugar partidas.

—¿No echas de menos el fútbol? –le pregunté, según le metía un gol.

—La verdad es que sí, pero estoy muy enrollado con el teatro. Creo que estoy haciendo un buen papel.

—Me alegra saber que algo te va bien. Porque con Vanessa lo llevas crudo.

—No sé qué hacer para llamar su atención. Le he prometido de todo, pero no me hace ni caso. Dice que soy muy crío para hablar de amor.

—Hombre, algo de razón tiene, ¿no? Te he dicho muchas veces que te gustan demasiado los juegos infantiles.

—¿Y qué tengo que hacer? ¿Matar a alguien? No, gracias, prefiero la línea sensible e infantil.

—No entiendes a las mujeres. Por un lado, dicen que les gustan los tíos sensibles, pero luego, a la hora de la verdad, prefieren a los duros. Te lo digo yo.

—Pues con Diana no te va muy bien que digamos.

—Estamos pasando una pequeña crisis, pero se le pasará. ¿Qué tal lleva lo del teatro? ¿Es buena actriz o no?

—No lo hace mal. Patricio está muy contento con ella. La verdad es que, cuando interpreta alguna escena con Montes, parecen un matrimonio de verdad. Es impresionante.

—¿Ah, sí? –pregunté, metiéndole un golazo que sonó como un trueno.

—Ya lo verás el día del estreno. Montes también lo hace bien.

—Pues estoy apañado: entre Montes y Patricio me están haciendo la pascua.

—No te pongas nervioso, solo es una actuación teatral.

—Ya, pero Shakespeare dijo que el mundo es un escenario y que nosotros somos los actores.

—Son palabras, solo palabras.

—Pero las palabras dan ideas. Si no se puede cambiar el escenario, a lo mejor hay que cambiar a los actores.

—¿Qué quieres decir?

—¡Joder, vaya golazo que te acabo de meter, tío! –exclamé.

Ángel era un buen confidente. Me lo contó todo y me puso al corriente de las andanzas de Diana. En aquel momento, al ver la cara que se le había quedado con el último gol, pensé que, a lo mejor, tenía que echarle una mano.

Pero también había llegado el momento de hacer algo por mí. La situación se me estaba escapando de las manos. Y no lo podía permitir. Solo me faltaba que ese capullo de Montes viniera a complicar la situación.

XX

Los entrenamientos con Mario respondieron de verdad a sus promesas: nos estaba convirtiendo en verdaderas máquinas, pero no de meter goles, sino de machacar. Nos estaba transformando en apisonadoras.

Un día llegué a los vestuarios de bastante mal humor. Mi madre había tenido un intenso dolor de cabeza durante todo el día, y mi padre la había regañado. No intervine para no empeorar el ambiente, pero me había puesto un poco nervioso, así que no estaba para soportar bromas de nadie.

LOS ENTRENAMIENTOS CON MARIO RESPONDIERON DE VERDAD A SUS PROMESAS: NOS ESTABA CONVIRTIENDO EN VERDADERAS MÁQUINAS, PERO NO DE METER GOLES, SINO DE MACHACAR.

—¿Qué te pasa, León? –me preguntó Andrés–. Traes mala cara.

—Traigo la cara que me da la gana –respondí inmediatamente–. ¿Vale?

Los demás me miraron, pero nadie dijo nada. Sabían de sobra que, cuando no tenía ganas de bromas, no había que insistir.

—Quiero que os comportéis como hombres de verdad –advirtió Mario–. Dentro de poco tendremos que jugar contra los de Villaverde y, si no ganamos, aquí va a pasar algo.

—Yo no estoy seguro de que vayamos a ganar –comentó Montes, que ya se había vestido–. Llevamos los entrenamientos un poco retrasados.

—Aquí el único que va retrasado eres tú –respondió el entrenador–. Si te dejaras de interpretar obritas de teatro, ya verías tú cómo las cosas marcharían mejor.

Montes no respondió y salió de los vestuarios. Unos minutos después, estábamos todos en el campo, dispuestos a enfrentarnos con la realidad.

—Hoy vamos a hacer enfrentamiento –ordenó el entrenador–.

Vamos a jugar un pequeño partido... Los números pares a un lado y los impares al otro. ¡A ver qué pasa!

Nos dividimos según sus instrucciones y empezamos a jugar. No llevábamos ni tres minutos de juego cuando nos metieron un gol. A los cinco minutos, ya nos habían metido otro.

Luego me hice con el balón y me lancé como un bólido hacia la portería contraria, decidido a meter el gol yo solo, sin ayuda de nadie. Pero tuve mala suerte: Montes se interpuso en mi camino. Montes era como una montaña; se parecía a La Masa y era indestructible... pero no había elegido el día apropiado para impedirme el paso.

Me embalé contra él, dispuesto a derribarle. Nuestros cuerpos chocaron igual que dos locomotoras que venían en la misma vía, de frente y a toda velocidad. Fue un choque brutal.

A pesar de que el instinto de supervivencia me pedía a gritos que me apartara, hice justamente lo contrario y me esforcé en golpear de frente. Realicé un movimiento inesperado: alcé el hombro y se lo incrusté en la nariz. Oí un extraño crujido justo antes de que cayera al suelo, con la cara llena de sangre.

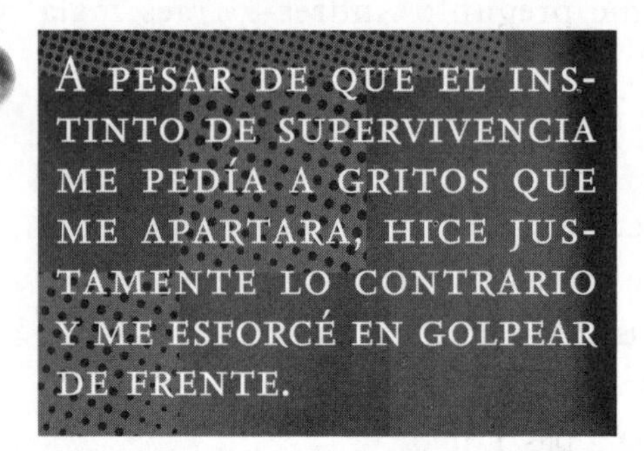

—¡Le has partido la nariz! –sentenció el entrenador–. Le has inutilizado.

—Lo siento –repuse–. Cosas del deporte.

Nadie me dijo nada, pero las miradas de reproche hablaban por sí solas. Era como si me culparan de lo que había pasado.

—¡Yo no he hecho nada malo! –grité–. ¡Yo no he hecho nada malo!

—No pasa nada, chicos. Este es un deporte de hombres y aquí no se llora. El que no sea capaz de aguantarlo, que se dedique a jugar con muñequitas –explicó Mario–. Quiero que os deis la mano y os portéis como amigos. Sin rencor, que entre hombres hay que llevarse bien.

Montes se tapó la nariz con un pañuelo, levantó la cabeza y me dio la mano. Yo le di un apretón de amigos, pero algunos tuvieron que sujetarle, ya que se mareó, perdió el equilibrio y cayó al suelo.

—¡Deberíamos llevarle a la clínica! –sugirió Andrés, algo asustado.

Las miradas de mis compañeros se volvieron más acusadoras. Si hubieran podido, en ese momento me habrían echado del equipo. Lo leí en sus ojos.

Me di la vuelta y me dirigí al vestuario. Si no eran capaces de comprender que esto es un juego de hombres, mejor que se dedicasen a otra cosa.

XXI

Al día siguiente, llamé a Diana para invitarla a dar un paseo, pues llevaba varios días sin hablar con ella cara a cara, como hacen las parejas. Yo estaba todavía un poco nervioso por el golpe de Montes y me había propuesto ir con cuidado. No era un buen momento para ponerme agresivo. Tenía que interpretar el papel de chico bueno que escucha los consejos de su novia y al que todo le parece bien.

—Diana, tienes que perdonarme por lo del otro día –dije–. Creo que he estado un poco nervioso últimamente.

—¿Nervioso? ¿Lo de Montes lo has hecho por culpa de los nervios?

—Pero, ¿a qué viene esto?

—¡Explícame a qué viene lo que le has hecho! ¿Qué pretendes?

—Nada. Ha sido un accidente. Solo eso. Te lo juro.

—León, a mí no me tomes el pelo. Estás cada día más agresivo y me preocupa.

—No debes temer nada de mí –le aseguré–. Ya sabes que conmigo estás a salvo.

Hacía un frío de mil demonios y, a pesar de que había cierta tensión, me atreví a cogerle la mano. Ella no protestó, pero tampoco respondió a mi contacto. En otro tiempo, me habría dado un ligero apretón.

—Oye, noto que las cosas no van bien entre nosotros, y a lo mejor es culpa mía. Pero te aseguro que ahora que hemos cambiado de entrenador y las cosas van a mejorar, me voy a portar bien contigo –prometí–. Ya sabes que eso de perder todos los partidos me ha tenido muy agobiado.

—Sí, ya lo sé, pero no estoy segura de que el cambio de entrenador sea suficiente para que lo nuestro mejore... Montes está hecho polvo.

—Deja de pensar en él y piensa un poco en mí.

Noté enseguida que se relajaba. Yo sabía de sobra que lo que más le gustaba era sentirse segura a mi lado.

—Quiero serte sincero, hay otra cosa que me preocupa... –susurré–. No me gusta que interpretes esa obra de teatro.

—León, eso ya lo hemos hablado. Voy a interpretarla, así que te ruego que no insistas.

—No me gusta ver cómo ese capullo de Patricio te dirige –confesé–. No me gusta nada.

—Patricio es el director. Salvador lo ha nombrado...

—Ya, pero él te ha nombrado a ti. Ese idiota no es nadie para decirte lo que tienes que hacer.

—Es que no me dice lo que tengo que hacer... Hay un guión escrito y lo seguimos, eso es todo.

Guardé un poco de silencio y volví a la carga.

—Además, hay otra cosa que me gusta menos todavía.

Diana me miró sin decir nada y esperó a que continuara:

—No me gusta nada que Montes haga el papel de tu esposo.

—León, tío, ¿te das cuenta de lo que dices?

—Sí, claro que sí... Estás entre Montes y Patricio, y yo me estoy quedando fuera.

—Lo de Montes ya no importa. El médico le ha recomendado que deje los ensayos. Tiene la cara inflamada y casi no puede hablar.

—Es una buena ocasión para que lo dejes tú también.

—No, León, no lo voy a dejar. Voy a interpretar ese papel, tanto si te gusta como si no –respondió.

Esperé unos segundos para responder.

—No me gusta que mi novia me ponga en ridículo ante los demás –dije entre dientes–. No me gusta nada.

—¡No te dejo en ridículo ante nadie!

—Ya, pero si no me obedeces ahora, no sé qué ocurrirá cuando nos casemos –insistí.

—¿Y qué esperas que ocurra? ¿Crees acaso que voy a seguir tus órdenes al pie de la letra? ¿Crees que, porque me gustas, te voy a permitir que me digas lo que tengo o no tengo que hacer? Además, aún queda por ver si nos vamos a casar algún día o no.

"¿CREES QUE, PORQUE ME GUSTAS, TE VOY A PERMITIR QUE ME DIGAS LO QUE TENGO O NO TENGO QUE HACER?"

—Deberías ser un poco más considerada conmigo y tener en cuenta mis sentimientos. Me humillas continuamente y mis amigos se ríen de mí. Hasta Ángel dice que me manejas igual que a un muñeco.

—León, yo me voy –dijo de repente, soltándome la mano–. Ya hablaremos otro día.

Volví a coger su mano y la agarré con fuerza.

—No me gusta que me hables así. Quiero que me prometas que me vas a hacer caso –dije.

Pegó un tirón fuerte y se liberó de mí; después, dio un paso hacia atrás con la intención de huir, pero yo fui más rápido: la sujeté y, como no se estaba quieta, le pegué un guantazo en plena cara.

Diana se quedó helada y se cubrió inmediatamente la mejilla con la mano:

—¿Qué has hecho...? ¿Cómo te has atrevido?

—Oye, escucha, lo siento...

—¡Apártate de mí!

—No quería pegarte... De verdad, te lo juro.

Alargó el brazo hacia mí, con la mano abierta, a modo de barrera.

—¡No te acerques! ¡Estás loco!

DIO UN PASO HACIA ATRÁS CON LA INTENCIÓN DE HUIR, PERO YO FUI MÁS RÁPIDO: LA SUJETÉ Y, COMO NO SE ESTABA QUIETA, LE PEGUÉ UN GUANTAZO EN PLENA CARA.

—Diana, escucha, escucha...

—No digas nada –susurró con rabia–. Y no te acerques... ¡Me has pegado!

—Ha sido sin querer.

Me miró horrorizada, como si hubiera hecho algo espantoso, y salió corriendo, dejándome solo en el parque.

Tardé unos minutos en darme cuenta de lo que había hecho. ¡Le había pegado un bofetón! ¡Había pegado a una chica! ¡A mi novia! ¿Cómo podría explicarle que lo había hecho sin querer, impulsivamente y sin control? ¿Cómo podría hacerle comprender que lo había hecho porque la quería?

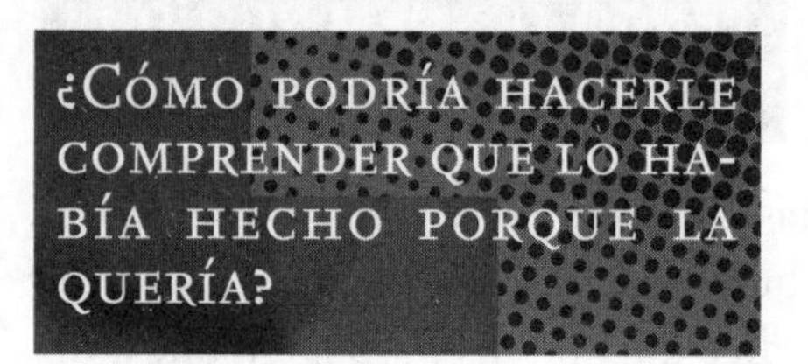

XXII

Aquella noche llegué un poco tarde a casa y me encontré a papá, que venía del bar y se le notaba un poco alegre. Cuando bebía, le daba por hablar.

—Hombre. *Leonsegundo*, ¿qué te pasa, que traes esta cara? –dijo, poniéndome el brazo en el hombro.

—No sé, estoy un poco desconcertado –respondí.

—Problemas con Diana, ¿verdad? Siempre que un hombre está disgustado, hay una mujer detrás –comentó mientras encendía un cigarrillo–. ¿A que tengo razón?

—Sí, papá, tienes razón –respondí–. He tenido una discusión con ella.

—¿Quieres que lo hablemos? –propuso–. Ven, vamos a dar un paseo, hablaremos de hombre a hombre.

Empezamos a caminar por nuestra calle, hacia el río. Poco a poco llegamos al tema principal de la cuestión. Después de pensarlo profundamente, decidí confesarle la verdad:

—Además, le he pegado una bofetada y no estoy contento.

—¿Es la primera vez que lo haces? –preguntó, lanzando una bocanada de humo.

—Sí, y me siento muy mal.

—Es lógico. A ningún hombre decente le gusta pegar a una mujer.

—Soy un idiota y aún no sé cómo ha sido. Fue de repente, sin pensarlo... Creo que me puse rabioso cuando dijo que no tenía por qué obedecerme. Eso me sacó de mis casillas, y la mano se me fue.

—Te comprendo. Lo que has hecho no está bien, pero hay momentos en los que un hombre no puede aguantar ciertas cosas. Hay hombres que pegan a las mujeres por placer, y no quiero que seas uno de esos. Tienes que saber controlarte.

—Lo siento, papá, lo siento de verdad.

—A quien tienes que pedirle perdón es a ella, no a mí –dijo–. Y tienes que hacerlo sinceramente. Un hombre que pide perdón sin sentirlo de verdad es una bazofia. Hay que ser sincero con la mujer que amas.

—Nunca volveré a ponerle la mano encima. ¡Lo juro!

Se acercó y me dio un fuerte apretón entre sus poderosos brazos. Después, lanzó una pequeña sonrisa y dijo algo que, en aquel momento, me pareció normal:

—Eso no lo puedes asegurar. Te dará más motivos para que la endereces. Algunas mujeres son así, se rebelan por todo... Oye, por cierto, ¿tienes relaciones sexuales con ella?

—Pues, no –respondí–. Nos achuchamos un poco, pero nada más.

—Ten cuidado de que no te ocurra lo que me pasó a mí. Se quedan embarazadas y luego no tienes más remedio que casarte. Ten mucho cuidado con eso, *Leonsegundo*.

A pesar de que ese consejo ya me lo había dado muchas veces, esa noche sus palabras me sonaron extrañas. Al principio no me di cuenta del mensaje, pero luego, todo empezó a chirriar en mi cerebro, igual que una máquina mal engrasada.

—Ahora me preocupa más haberle puesto la mano encima –susurré–. No quiero que vuelva a ocurrir.

—¿Puedes afirmar que no te volverá a perder el respeto? ¿Verdad que no? Pues tampoco puedes jurar que no la volverás a poner en su sitio. Si te provoca, tienes que responder... O las cosas irán de mal en peor.

—Pero pegar a una mujer no está bien –dije con firmeza.

—¡Claro que no está bien! ¡Solo los canallas pegan a las mujeres! Pero no te confundas, lo que tú has hecho no es pegarle, es dirigirla, que es muy distinto.

Estaba a punto de terminar su cigarrillo cuando tuvo un ataque de tos.

—Este maldito catarro no acaba de curarse –protestó, mientras pisoteaba la colilla–. Creo que es mejor que volvamos a casa, o tu madre me echará una bronca.

Efectivamente, apenas entramos, mamá empezó con su retahíla de reproches. Pero no nos importó: papá y yo estábamos más unidos que nunca. Había compartido mi secreto con él y me sentí respaldado.

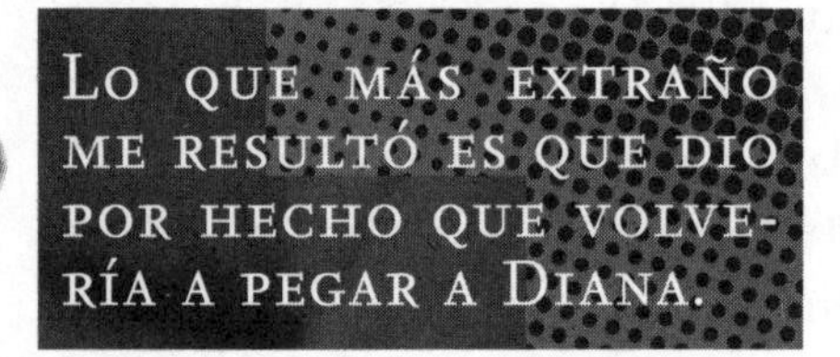

Cuando me acosté, estuve dando vueltas al discurso de mi padre. Lo que más extraño me resultó es que dio por hecho que volvería a pegar a Diana.

XXIII

Me acerqué a Diana y la cogí del brazo con dureza.

—¡Me tienes harto! –le dije–. ¡Vas a respetarme, por las buenas o por las malas!

—¡Ni lo sueñes! –respondió, intentando liberarse–. ¡Suéltame de una vez!

Me estaba poniendo furioso, pero eso parecía importarle poco. Así que la sujeté con más fuerza, para que comprendiera que la cosa iba en serio.

—Escúchame bien... Soy tu novio y tienes que hacer lo que te ordeno. Estoy harto de tus rebeldías. No hagas que me enfade y prométeme que me obedecerás.

—¡Te has vuelto loco! No tienes ningún poder sobre mí y no tengo por qué obedecerte.

—Te lo digo por tu bien. Trátame con el respeto que una mujer debe tratar a un hombre. Con esa actitud no podremos crear una familia. No quiero pegarte, pero si me obligas no dudaré en hacerlo.

—¡Ni se te ocurra ponerme la mano encima!

—¡No me provoques! ¡No me gusta pegarte, pero mi obligación es mantener la disciplina!

—¡Ya estoy harta de ti! ¡Eres un...!

—¿Un qué? A ver, ¿qué soy?

—¡Eres un animal, igual que Kowalski!

—¡Maldita bruja! –exclamé mientras levantaba la mano.

Le solté un bofetón en plena cara que la obligó a estarse quieta.

—¡No me pegues! –gritó–. ¡No tienes derecho!

—¡Más que un derecho es una obligación!

En ese momento, la puerta se abrió y entró mi padre. Llevaba una copa de brandy en la mano y parecía contento.

—¿Qué pasa, hijo, qué ha hecho? –preguntó, después de dar un trago.

—Me ha faltado al respeto –expliqué–. Dice que soy un maltratador y que no soy nadie para enseñarle un poco de disciplina.

—Diana, no debes hablar así a tu futuro marido –dijo papá, sentándose en su sillón favorito–. ¿Es que no comprendes que Leonsegundo quiere lo mejor para ti?

—Ya sé que lo hace por mi bien –dijo Diana, un poco más sumisa–. Pero no hace falta que me pegue.

—¿Ah, no? Me estás poniendo de mal humor desde hace tiempo con esa maldita obra de teatro. Me estás obligando a soportar un papel que no me gusta y tú sigues ahí, luciéndote en el escenario.

—No te estás portando bien, Diana –le reprochó papá–. Te mereces un castigo de vez en cuando.

Obedecí a papá: le lancé un segundo guantazo en toda la cara, y se le puso colorada la mejilla.

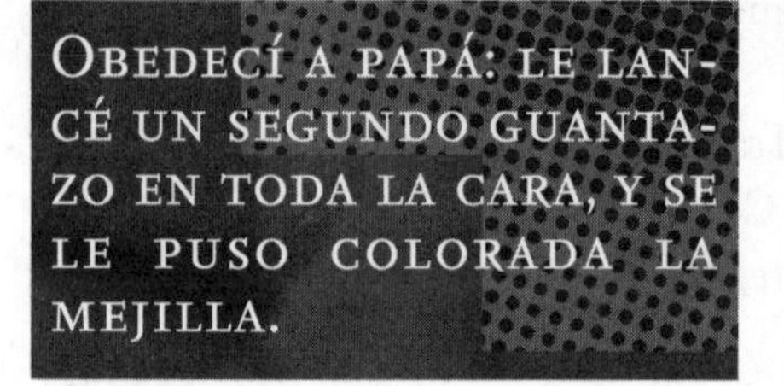

—Además, ¿para qué quieres tú ser actriz, si cuando nos casemos te vas a quedar en casa, cuidando de nuestros hijos?

—Eres un poco rebelde, me parece a mí. La madre de *Leonsegundo* era así cuando nos casamos, pero yo he sabido espabilarla... Él sabe perfectamente lo que tiene que hacer para que entiendas cuál es tu papel en esta vida –dijo papá–. Ya verás cómo te lo enseña.

—Un hombre no debe pegar a una mujer –imploró Diana–. Tiene que respetarla.

—Vaya, ahora nos vas a dar lecciones de comportamiento. Eso sí que está bien... Luego decís que los hombres no aguantamos nada –respondió papá, con mucha paciencia–. Me parece que no has entendido lo que pasa.

Me preparé para atizarle otro sopapo cuando Salvador entró en escena.

—¿Qué hace usted aquí? –preguntó *Leonprimero*–. No necesitamos a ningún payaso con bufanda roja.

—Es que tengo que explicarle a León que lo que está haciendo no está bien, que si sigue así tendrá problemas –explicó mi profesor.

—No estamos en clase –respondí–. Usted aquí no pinta nada. ¡Márchese!

—Soy tu profesor y tengo que impedir que te comportes como un bárbaro –insistió.

—¿Y cómo lo va a impedir? –preguntó papá, poniéndose ante él.

—A lo mejor me va a hacer leer un libro de esos que él conoce –dije–. Salvador sabe muchas frases famosas. A ver, díganos alguna; ande, recite alguna frase.

—¡Dejadle en paz! –imploró Diana, con los ojos llenos de lágrimas–. Solo quiere lo mejor para todos.

—Vaya, ahora resulta que lo mejor es dejar que me pierdas el respeto –añadí–. Esa sí que es buena.

—¡Un profesor de literatura y una chica rebelde! –rugió papá, escupiendo en el suelo–. ¡Menuda pareja!

—¡Es que no están solos! –gritó en ese momento un hombre que entraba por la ventana–. Soy el inspector Flores y estás detenido, chico.

—¡Eh, un momento, que mi hijo no ha hecho nada malo! –exclamó papá, interponiéndose–. Déjelo en paz, que está cumpliendo con su obligación.

—¡Usted es doctor y no puede detenerme! –protesté.

—¡Eso es lo que tú te crees, chico! –respondió el hombre, sacando unas esposas de su gabardina.

Intentó ponérmelas, pero me resistí; entonces, un policía de uniforme vino en su ayuda y me esposó, mientras papá observaba la escena sin hacer nada.

—¡Esto es un atropello! –protestó–. ¡Les mandaré al abogado de la empresa! ¡No te preocupes, hijo, que tu padre no te dejará solo en esto!

—¡Papá, vigila a Diana mientras estoy en la cárcel! –grité–. ¡No se vaya a liar con Patricio… o con Montes!

—Yo me ocuparé de todo, hijo. Vete tranquilo…

Me sacaron de la habitación y el mundo oscureció. Tuve una extraña sensación de ahogo y me pareció que me faltaba el aire. Entonces grité.

Cuando me quise dar cuenta, estaba sentado sobre la cama, sudando y observando el cielo a través de la ventana, con la respiración agitada. Aquella maldita pesadilla me había descompuesto.

Después de toser y estornudar un par de veces, me pasé la mano por la frente y me di cuenta de que tenía fiebre. Mi padre me había contagiado.

Tercera parte

XXIV

Después de pensarlo más de una semana fui a buscar a Diana al teatro, donde la estuve esperando en la puerta durante más de una hora.

Salió acompañada de Vanessa y, cuando me vio, su expresión dibujó claramente el rechazo que sentía hacia mí. Dio media vuelta y empezó a caminar en sentido contrario. Estuve a punto de marcharme, pero tomé la decisión de seguirla, exponiéndome a que me mandara a hacer gárgaras.

—Hola, chicas –dije cuando las alcancé.

—Hola, León –respondió Vanessa.

—Y tú, ¿no me vas a saludar? –pregunté.

No me hizo ni caso, y noté que estaba profundamente enfadada. Sin embargo, yo tenía que salirme con la mía, ya que mi padre me había enseñado a no rendirme a la primera.

No me hizo ni caso, y noté que estaba profundamente enfadada. Sin embargo, yo tenía que salirme con la mía, ya que mi padre me había enseñado a no rendirme a la primera.

—Necesito hablar contigo –le dije con absoluta sinceridad–. No creo que tenga nada de malo que quiera charlar, ¿no?

Se detuvo en seco y me miró fijamente.

—¿Quieres hablar como la última vez? ¿Quieres volver a ponerme la mano encima? –gritó–. Si vuelves a intentarlo, te juro que no me quedaré quieta.

—No, no, de verdad, te aseguro que solo quiero hablar. Necesito decirte algo muy importante. Te ruego que me escuches.

No sé exactamente cómo lo conseguí, pero logré que me hiciera caso. Se quedó quieta, mirándome, sin decir nada.

—Bueno, yo me voy –dijo Vanessa, dándose cuenta de que sobraba–. Hasta luego.

—A ver, explícate. Y no me vengas con chorradas –me ordenó.

—Verás, es que... Bueno, si te parece bien, podemos ir a tomar algo y sentarnos para hablar tranquilamente –casi supliqué–. Te lo pido por favor.

—Vaya, es la primera vez que pides algo por favor –dijo irónicamente.

—Podemos ir a...

—No iremos a ningún sitio. Habla aquí y ahora y no me vengas con historias –dijo–. Y si no te parece bien, ya te puedes ir marchando.

Noté que estaba decidida a no moverse, así que aproveché la oportunidad que me brindaba.

—Bueno, verás, antes de nada quiero pedirte perdón por mi comportamiento del otro día. No debí pegarte...

—La próxima vez que me pongas la mano encima, tendrás un problema serio –advirtió.

—Te aseguro que no lo haré. No sé por qué lo hice. Fue un acto reflejo o yo qué sé... una tontería.

—¿Una tontería? ¿Me has pegado una bofetada y dices que fue una tontería? ¿Me estás tomando el pelo? Oye, si esto es lo que tienes que decirme, yo me voy...

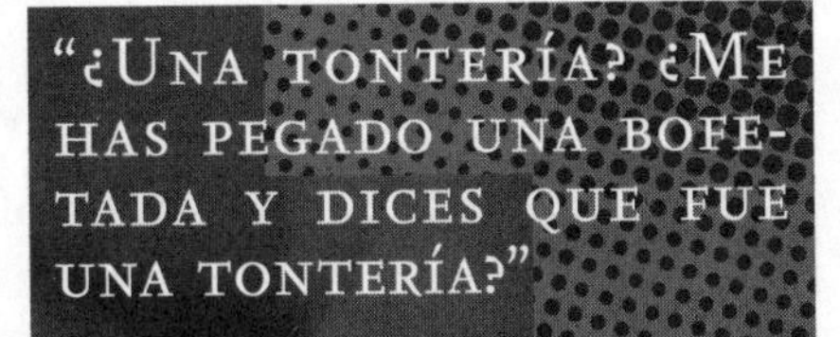

—No, no, espera. Por favor, dame una oportunidad. Escucha... Soy un idiota y me comporté como un animal. No tengo derecho a pegarte y quiero decirte que nunca volveré a hacerlo.

Se quedó un momento en silencio, pensando en mis palabras, hasta que, al cabo de un rato, dijo:

—Después de lo que ha pasado, ni sueñes con que seamos novios. Ni siquiera amigos. La confianza que tenía en ti ha desaparecido.

—¿Qué puedo hacer para volver a tener tu aprecio?

—Nada. De momento no puedes hacer nada –susurró–. Lo has estropeado todo.

Esperé unos segundos antes de hacerle la propuesta que había pensado.

—Escucha, quería pedirte una cosa...

—¿Qué cosa? Yo no puedo hacer nada por ti. Ni siquiera tengo ganas de verte.

—Escucha... Quiero que me ayudes. Estoy perdido y no sé qué debo hacer... Tienes que perdonarme.

—Me estás tomando el pelo –dijo, después de reflexionar un poco–. Me has tomado por idiota. Primero le partes la nariz a Montes, después me pegas a mí y ahora me vienes con historias de perdón. ¡Estás loco, León!

—Necesito que me ayudes a cambiar. Sin ti no lo conseguiré –imploré–. ¡Por favor, Diana, ayúdame a ser otra persona!

Dio un paso hacia atrás y se apoyó contra la pared.

—Tengo que pensarlo –dijo en voz baja–. Tengo que pensarlo.

Y sin decir nada más, se marchó.

Mientras se iba, estornudé varias veces. Me toqué la frente y comprobé que la fiebre estaba subiendo.

XXV

Al día siguiente, la fiebre me había abatido, y mamá prefirió que me quedara en la cama.

—Ya ves, ahora tengo dos enfermos en casa –dijo–. Tu padre y tú tenéis mucho músculo, pero poco cerebro.

—Mamá, solo es una gripe de nada.

—No hables como tu padre. Ya no eres un niño y se supone que tienes edad para comprender la gravedad de las cosas.

No me quedó más remedio que hacerle caso. Pasé todo el día arropado con mantas y tomando calditos clientes. Por la noche, me permitió levantarme para cenar algo. Papá y yo permanecimos callados para no provocar el enfado de mamá. De repente, el teléfono rompió a sonar:

—Es Patricio –dijo mamá–. Pregunta por ti.

Me resultó muy extraño que Patricio me llamara a casa después de los últimos acontecimientos, pero atendí su llamada.

—Patricio, hola, ¿qué quieres? –pregunté secamente.

—He hablado con Diana –dijo–. Y hemos pensado que queremos proponerte algo.

—¿Ah, sí? ¿Y qué es, si puede saberse? –pregunté con ironía.

—Pues verás, como Montes no va a poder interpretar la obra, se nos ha ocurrido que, a lo mejor, si quieres, puedes hacerlo tú en su lugar.

Me senté en la silla más próxima para digerir mejor sus palabras.

—¿Me estás tomando el pelo? –pregunté.

—Necesitamos un actor y hemos pensado en ti. Así de simple.

—¿Después de todo lo que ha pasado me propones que...?

—Diana ha insistido. No sé qué le has dicho, pero ella dice que necesitas una ocasión de unirte al grupo, y aquí la tienes. Tú verás si quieres aprovecharla.

O sea, que Diana había decidido darme la oportunidad que le había pedido. Debí de estar muy persuasivo.

—Está bien, acepto –dije–. Muchas gracias por proponerme ese papel en la obra. Intentaré hacerlo lo mejor posible. Lo que pasa es que estoy en cama con fiebre.

—Bien, pues, cuando te cures, empezaremos los ensayos –dijo.

—De acuerdo. Aunque tendré que compaginarlos con el entrenamiento...

—No creo que te dé tiempo a hacer las dos cosas. Tendrás que decidir.

Estuve a punto de mandarle al carajo, pero controlé la rabia y accedí:

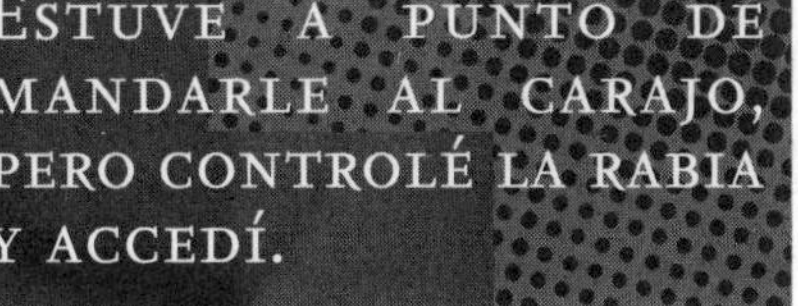

—En cuanto me encuentre bien iré a ensayar.

—Contamos contigo.

—Ah, y otra cosa, yo no soy un buen actor.

—No te preocupes por eso, yo te dirijo –comentó antes de colgar.

Cuando volví a la mesa para terminar el postre, Verónica estaba explicando algunas cosas de su empresa:

—Son demasiadas horas, y el jefe se niega a pagar horas extras. Si esto sigue así, tendré que cambiar de trabajo.

—Ni se te ocurra –ordenó papá–. Hay que ser fuerte y aguantar. Uno no puede cambiar de trabajo así como así, por capricho.

—¿Capricho? Pero, papá, ¿estás escuchando lo que estoy diciendo? –protestó.

—Oye, te recuerdo que ese empleo te lo encontré yo. Moví todos mis contactos, y mis amigos te abrieron las puertas gracias a mí.

—¿Quieres que aguante el abuso al que me están sometiendo solo porque son amigos tuyos? –preguntó Verónica.

—¡Eres una hija desagradecida!

Estuve a punto de intervenir para dar la razón a papá, pero como la discusión no me interesaba nada en absoluto, me levanté y me fui a mi habitación. Cogí mi móvil y llamé a Diana, que, desgraciadamente, había conectado el contestador. Antes de colgar, le dejé unas palabras: *Diana, soy yo, León. Me acaba de llamar Patricio y he aceptado la propuesta. Quiero darte las gracias por tu ayuda. Te aseguro que no te fallaré. Te quiero.*

Cuando volví al salón, papá había terminado de cenar y se estaba mirando en el espejo.

—Tengo que ir al peluquero –dijo–. No me gusta tener esta pinta. Parezco un pordiosero.

—Papá, es más importante cuidar la salud –dije.

—Un hombre tiene que cuidar su imagen. Es lo mejor que tiene –comentó antes de irse a la cama.

—Este hombre es insoportable –se lamentó mamá–. No escucha a nadie. Así no se curará nunca.

Estuve un rato viendo la televisión y me acosté enseguida. La fiebre había vuelto a subir.

XXVI

Permanecí en la cama tranquilamente hasta que me di cuenta de que necesitaba solucionar un asunto. Y, siguiendo el consejo de mi padre de no dejar para mañana lo que se pueda hacer hoy, llamé por teléfono a Mario.

—Hola, Mario, soy León... ya sabes.

—Chico, ¿qué te pasa? Vaya voz que tienes...

—Es que estoy con gripe, en la cama. Tengo treinta y nueve de fiebre...

—Vaya, lo siento. Creo que tu padre está igual, ¿no?

—Ya ves, aquí estamos el padre y el hijo, hechos unos zorros.

—En estas condiciones no podrás entrenar, chico. Es mejor que te quedes en casa y te cuides.

—Sí, por eso te llamo, para que sepas que, de momento, no podré ir por allí. Y bien que lo siento. Ya sabes que, para mí, el fútbol es lo primero.

—Lo importante es que te cures. Ya tendrás más oportunidades de meter goles.

—Y que lo digas...

Cuando corté la conversación, me quedé preocupado, pensando en que me estaba perdiendo lo mejor de los entrenamientos. Ya sé que no se debe jugar al fútbol con gripe, pero, aun así, me quedó una sensación de fracaso, como un vacío.

Volví a meterme en la cama justo cuando mamá regresaba de hacer la compra.

—¿Cómo estás? –me preguntó–. ¿Quieres ponerte el termómetro?

—Mamá, que ya no soy un niño.

—¿Desde cuándo tomarse la temperatura es cosa de niños? –dijo, un poco airada.

—No es eso, es que... bueno, no sé. Ya sabes lo que quiero decir.

—Mira, aquí te lo dejo. Si quieres te lo pones, tú verás. Hay que ver, cada día te pareces más a tu padre...

Noté que se iba enfadada, así que, al cabo de un rato, la llamé:

—Mira, tengo un poco menos de treinta y nueve. Ha bajado.

—Vaya, es una buena noticia. ¿Te preparo un *Frenadol* para que te alivie un poco?

> "MIRA, AQUÍ TE LO DEJO. SI QUIERES TE LO PONES, TÚ VERÁS. HAY QUE VER, CADA DÍA TE PARECES MÁS A TU PADRE..."

Estuve a punto de decirle que no, pero me aguanté.

—Es una buena idea –acepté–. Prepáramelo, que me lo tomo.

Me miró sorprendida, como si no creyera en mis palabras.

—Te juro que me lo voy a tomar, anda, venga, hazlo.

Salió de mi habitación a toda velocidad antes de que cambiara de idea.

De nuevo me di cuenta de que cojeaba. Pero era una cojera distinta a la habitual. Hubiera jurado que ahora tenía la otra pierna mala. Aunque me resultó curioso, no le quise dar mayor importancia.

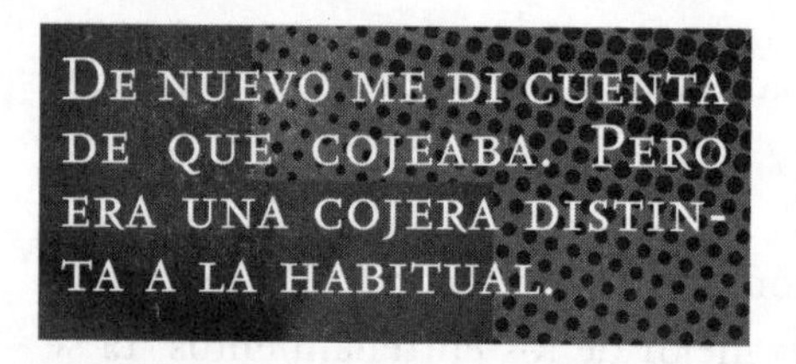

Sin embargo, a veces, hay pensamientos que se quedan rondando en el cerebro y se hacen persistentes. Así que, cuando volvió unos minutos después con el vaso de medicina naranja, le dije, como sin querer:

—Oye, esa cojera, ¿es la de siempre?

—Claro que sí. Deberías saberlo.

—Pues me ha parecido que hoy te tambaleas del otro lado. ¿Qué ha pasado para que ahora te duela la otra pierna?

—¿Qué dices, hijo? Esa fiebre te va a volver loco.

—No, mamá, sé lo que digo. Quiero que me expliques qué ha ocurrido.

¿Por qué ahora te duele la pierna izquierda cuando hasta ahora la que te molestaba era la derecha?

—Te digo que estás equivocado.

Dejé el vaso sobre la mesilla para que comprendiera que no me lo iba a tomar hasta recibir una respuesta.

—Quiero ver las radiografías –dije–. Quiero que me las enseñes ahora.

—Vamos, hijo, no seas chiquillo –respondió–. Además, están en la clínica.

—Pues baja a buscarlas.

—¿Bromeas? ¿Qué dirá tu padre si se entera?

—¿Si se entera de qué? ¿De que le has enseñado unas radiografías a tu hijo?

Se quedó muda.

—¿Qué ocultas, mamá?

Las palabras no le salieron. Negó con la cabeza y empezó a sollozar.

—Te ha vuelto a pegar, ¿verdad?

Se tapó la cara con las dos manos, y su gesto fue más que suficiente para hacerme entender que tenía razón.

—¡No se lo digas! –sollozó–. ¡Por Dios, no se lo digas!

Ella sabía que no se lo iba a decir. Lo sabía de sobra. Lo sabía desde hacía años.

Cogí el vaso de la medicina y me la tomé de un trago. Me pregunté por qué las medicinas eran tan amargas.

XXVII

El fin de semana recibí una llamada que llevaba tiempo esperando y que me animó mucho:

—¡Diana, qué alegría oírte!

—Hola, León, ¿cómo te encuentras?

—Voy mejorando. Gracias a mi madre, que me cuida mucho.

—Qué suerte tienes.

—Oye, me gustaría verte –dije–. Estoy loco por estar contigo...

—No te emociones demasiado, que solo te llamo como una amiga, para decirte que tengo una copia del guión para ti.

—Pero, bueno, Diana, ¿es que no me vas a perdonar nunca?

—¿Perdonarte? ¿Cómo voy a olvidar que me hayas puesto la mano encima?

—Diana, eso ya lo hemos hablado. Tenemos que mirar al futuro.

Se produjo un incómodo silencio, que rompí con una propuesta:

—Oye, ¿por qué no te vienes a mi casa y me traes ese guión?

—¿Y si me contagias la gripe?

—No te tocaré. Solo quiero verte...

—Ya sabes que estoy de ensayos...

—Por eso quiero verte, para decirte una cosa relacionada con la obra. Anda, ven, por fa...

—Está bien, voy para allá... En diez minutos estoy en tu casa. Espero que no sea una tomadura de pelo.

—Ya verás como no te arrepientes. Te espero...

Fueron los diez minutos más largos de mi vida. Ahora que me había perdonado tenía más ganas de verla. En estos días de cama, fiebre y sueños truculentos me había convencido a mí mismo de que había cambiado o de que iba a cambiar. La verdad es que estaba decidido a transformarme en una nueva persona. Reconozco que aquella bofetada que le di a Diana me había dolido a mí más que a ella.

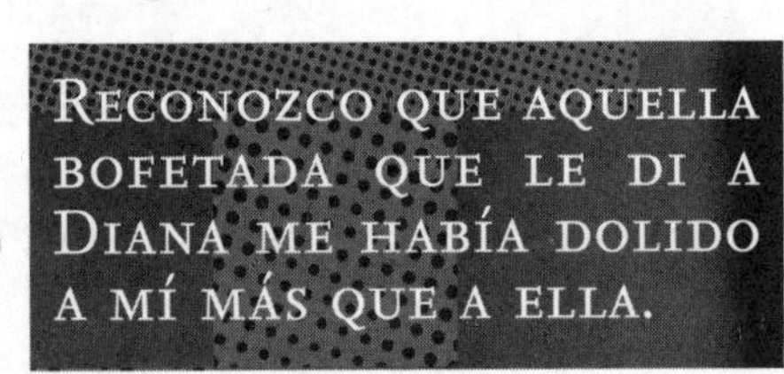

El timbre de la puerta sonó, y mamá salió a abrir. Unos segundos después, ella y Diana se asomaban a mi habitación.

—Aquí le tienes –dijo mamá–. Se ha portado bien y me ha permitido que le cure. Es un buen chico. Cuídale.

—Sé que lo es –asintió Diana–. Lo que pasa es que él aún no lo sabe.

—Habrá que ayudarle, ¿no? –insinuó mamá antes de retirarse.

Diana se sentó en el borde de mi cama y entrelazamos nuestras manos, como en los viejos tiempos. Entonces, como si no hubiera pasado nada malo entre nosotros, empezamos a hablar y a contarnos cosas. Estuvimos más de una hora charlando, y el tiempo pasó volando. La verdad es que me sentí muy feliz de reencontrarme con ella, con Diana... con mi novia.

—Mira, te he traído una copia del guión de Patricio, para que te lo vayas estudiando, y una cinta de la película interpretada por Marlon Brando –dijo.

—Gracias, lo leeré enseguida.

—Te gustará. Patricio ha hecho un buen trabajo –comentó–. Y te sugiero que veas la película. Verás qué buen personaje te ha tocado hacer. Es una joya.

—Diana, quiero darte las gracias por todo. Y quiero que sepas que no te fallaré.

—Vale, está bien, procura no olvidar tu promesa. Cuando te cures, ya hablaremos de todo... Pero debes saber que las cosas no van a ser tan sencillas. No estoy dispuesta a hacer pareja con alguien que...

—He sido un idiota. No sé de dónde me ha salido esa idea de pegarte, pero te garantizo que no volverá a ocurrir.

Me permitió darle un beso, aunque apenas pude rozar sus labios, ya que se retiró inmediatamente.

XXVIII

Al día siguiente, mamá tuvo que salir a hacer unos recados, así que papá y yo nos quedamos solos en casa. Teníamos fiebre y no parábamos de estornudar.

—Se me han acabado los pañuelos –dijo *Leonprimero*, entrando en el salón con la bata puesta y esa cara que se les pone a los enfermos que han estado muchas horas en la cama–. Esto es una locura. Estoy hecho un guiñapo.

—La hemos cogido gorda –comenté, envuelto en una manta, acurrucado en el sofá–. Estamos hechos polvo.

—Más tarde o más temprano se nos pasará. Hay otras cosas que no tienen arreglo –dijo papá–. Por ejemplo, la idiotez de Aurelio. Menudo capullo de vecino tenemos.

—Tienes razón. No tiene arreglo...

Abrí la caja del vídeo que Diana me había traído:

—¿Vas a poner una película? –preguntó.

—Sí, es *Un tranvía llamado deseo* –dije–. Tengo que verla para comprender mejor al personaje que voy a interpretar.

—Ah, hombre, eso está muy bien. Es una de mis películas favoritas. Hay que ver qué bien está Marlon Brando. ¿La vas a ver ahora?

—Pues sí... si te parece bien.

—Hombre, claro. Me voy a quedar contigo a verla. Ya verás qué buena es. Y el Marlon Brando, joder, qué papel hace...

Introduje la cinta en el aparato y lo puse en marcha.

—Mira, en blanco y negro. Como las buenas películas. Antes sí que se hacían buenas películas, no como ahora, con tantos colorines y tantos efectos visuales.

—Hombre, las cosas cambian.

—Sí, para peor. Mira como las buenas fotografías siguen siendo en blanco y negro. ¿A que no hace falta que sean en colores? Si es que lo bueno se conoce desde hace tiempo. Tantas moderneces y tantas leches... Fíjate qué película. No me digas que no es preciosa...

Mi padre, como siempre, tenía razón al afirmar que una imagen en blanco y negro era mejor que una en colores. Además de la interpretación de Marlon Brando, la historia resultaba impresionante y la película era soberbia. Tuve que reconocer que Salvador había acertado cuando dijo que, a pesar de ser una obra antigua, trataba un tema de rabiosa actualidad. Ciertamente, hay cosas que no cambian.

—En esos tiempos, los hombres eran hombres y las mujeres sabían cuál era su sitio. No como ahora, que es todo confusión y las mujeres se visten como los hombres y los hombres se maquillan como las mujeres. Mira qué pinta tiene este tipo con esa camiseta... –dijo papá con admiración–. Vamos, no me digas... ¡Es todo un símbolo de hombría!

Sin embargo, hubo algo que me llamó la atención: solo tuvo elogios para Marlon Brando, pero no hizo ni un solo comentario favorable sobre el trabajo de las dos mujeres, que, hay que reconocerlo, hacían una labor interpretativa de primera categoría.

Cuando se lo hice notar, me respondió:

—Hombre, no vas a comparar. El papel de las mujeres es mucho más fácil, igual que en la vida real, que lo tienen más sencillo. Sin embargo, nosotros, aquí nos tienes, pringados para toda la vida. Hazme caso, no te cases. Tú, dedícate a ganar dinero, búscate muchas novias, pero no se te ocurra casarte.

—Papá, las cosas han cambiado. Ahora las mujeres ganan su propio dinero, trabajan...

—Ah, si yo no me hubiera casado... Ahora sería socio de la empresa y estaría forrado. Pero, claro, tu madre se quedó embarazada y yo tuve que cumplir como un caballero... Luego nos endeudamos con la hipoteca del piso... En fin, un hombre de verdad no puede abandonar a la madre de sus hijos.

> "EL PAPEL DE LAS MUJERES ES MUCHO MÁS FÁCIL, IGUAL QUE EN LA VIDA REAL, QUE LO TIENEN MÁS SENCILLO."

XXIX

Estuve leyendo el guión de Patricio durante algunas horas. La verdad es que estaba muy bien escrito y la historia tenía un gran dramatismo. A pesar de que Salvador ya nos lo había explicado, comprendí mejor la historia. Trataba de Stanley Kowalsky, un hombre que vivía feliz con su esposa hasta que, un día, Blanche, la hermana de su mujer, viene a vivir con ellos. Blanche es una mujer delicada y alcoholizada que solo recibe malos tratos de Kowalski. Un amigo, que iba a interpretar Ángel, quería casarse con ella, pero Stanley hace lo imposible para frustrar esa unión.

Kowalski era el protagonista de la obra y se suponía que era mi papel. Pero a mí ese personaje no me gustaba. No estaba en mis planes interpretar a un individuo que maltrata a las mujeres ante todo el mundo, no señor. Y la verdad es que me indignó bastante que Diana y Patricio me lo propusieran.

—¿Por quién me han tomado? –grité mientras daba una patada a una silla que fue a parar contra la pared–. ¡Le voy a partir la cara a ese estúpido!

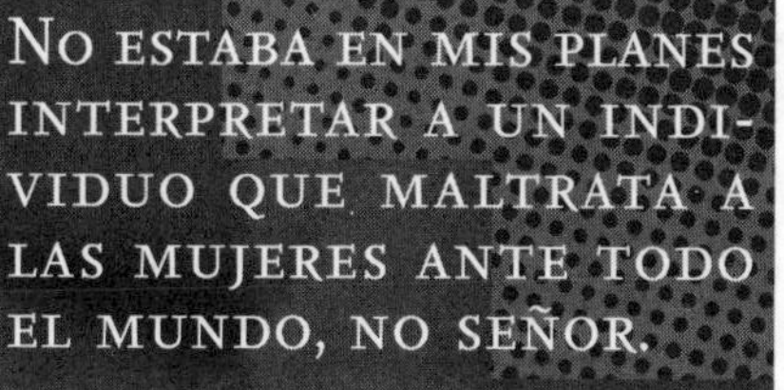

Tuve que hacer un esfuerzo para tranquilizarme. Luego, después de pensarlo detenidamente, y aprovechando que la fiebre me había bajado, llamé a Patricio.

—Hola, Patricio, te llamo para felicitarte por el guión.

—¿Te ha gustado?

—Mucho. Diana me lo trajo hace un par de días y lo he leído de un tirón. Creo que has hecho un buen trabajo. Te felicito, de verdad.

—Vaya, pues muchas gracias. Espero que ahora puedas aprender tu papel. Habrás visto que es una perita en dulce para alguien que le guste la interpretación.

—Sí, para alguien que tenga interés por el teatro es un papel excepcional, pero... verás... a mí no me interesa. Lo que quiero decir es que he decidido renunciar.

—¿Y eso? Yo creía que te hacía ilusión. Diana está convencida de que te gustaría representar la obra.

—Y es verdad. Pero me he dado cuenta de una cosa. Creo que es un personaje bordado para ti. Creo que deberías interpretarlo tú.

—¿Qué dices? Pero si yo voy a ser el director.

—Eres capaz de dirigirte a ti mismo. Nos sorprenderías a todos si hicieras ese papel. Te lo digo de verdad. Estoy seguro de que a Diana le haría mucha ilusión. Créeme.

—Chico, no sé qué decir. Me has cogido desprevenido –susurró.

—Hazme caso. Acepta mi renuncia e interpreta el papel de Kowalski.

—No sé qué dirá Diana.

—Yo me ocuparé de decírselo. Lo comprenderá, ya lo verás.

Estuve tan convincente que dejó de protestar y aceptó mi proposición.

Después, por la tarde, Ángel vino a visitarme. Me trajo varias revistas deportivas para entretenerme.

—Entonces, ¿qué, te curas o no? –preguntó.

—Todavía me quedan algunos días de cama. Estoy mejorando muy deprisa.

—Te echamos de menos en la clase. Ya sabes que siempre has sido el líder y, desde que no estás, aquello resulta muy aburrido.

—¿Qué tal lo llevas con Vanessa?

—Ni avanzo ni retrocedo. Estamos en punto muerto. Me mira pero no me ve. No soy nadie para ella. El otro día le regalé un ramo de flores por su cumpleaños, pero me parece que no me ha servido de nada.

—Eres un capullito que no sabe tratar a las chicas. Si no le demuestras que estás dispuesto a hacer lo que sea por ella, nunca conseguirás que te mire.

—¿Y qué quieres que haga? ¿Qué la secuestre?

—No digas bobadas. A lo mejor, con que la defiendas es suficiente. Tú hazle ver que estás dispuesto a pelearte con quien haga falta por ella y ya verás cómo le gusta. Eso es lo que les gusta a las chicas, que nos peleemos por ellas.

—¿Y con quién voy a pelear? Si soy un debilucho de mierda.

Guardé unos segundos de silencio antes de volver a la carga:

—No sé, yo he tenido que resolver mis problemas con un tío más fuerte que yo.

Se me quedó mirando hasta que comprendió mi mensaje.

—¡No me digas que lo de Montes lo hiciste a propósito!

—Nadie toca a mi chica sin correr el riesgo de que le pase algo.

—Pero, ¿con quién me puedo pelear?

—¿Sabes que Patricio va a interpretar el papel de Kowalski? –murmuré.

Ahora sí que se puso pálido.

—Oye, pero ese papel era tuyo.

—Ese capullo quería utilizarme para demostrar a Diana que soy un mal actor y dejarme mal. Se cree que soy idiota, pero le he pillado, vaya que si le he pillado.

—Joder, ¿no estará haciendo lo mismo conmigo? A ver si ese cabrito me ha dado un papel para demostrar a Vanessa que no soy capaz de...

—Yo no digo nada. Yo solo te doy pistas.

Ángel me agradeció la información y, después de una larga conversación, se marchó a casa. Tuve la sensación de que iba un poco enfadado.

XXX

Curiosamente, y gracias a los cuidados de mamá, me curé antes que papá, que seguía obstinado en no tomar medicinas.

—Abrígate bien para salir, que hace frío y podrías recaer –me advirtió cuando estaba a punto de salir a la calle.

—Sí, mamá. Te haré caso.

—Y no quiero que vayas a entrenar, que todavía no te has repuesto. Si sudas, podrías empeorar.

—Sí, mamá.

Obedecí y me puse un gorro con bufanda para no coger frío. Parecía un siberiano; me sentí bastante ridículo.

Llegué al instituto y me encontré con mis amigotes, que se alegraron de verme. La verdad es que estaba harto de permanecer en la cama y me puse muy contento de reencontrarme con mi panda. Los amigos, como dice mi padre, son la sal de la vida. Sin ellos no somos nadie.

Lo primero que hice fue ir a ver a Montes y reconciliarme con él.

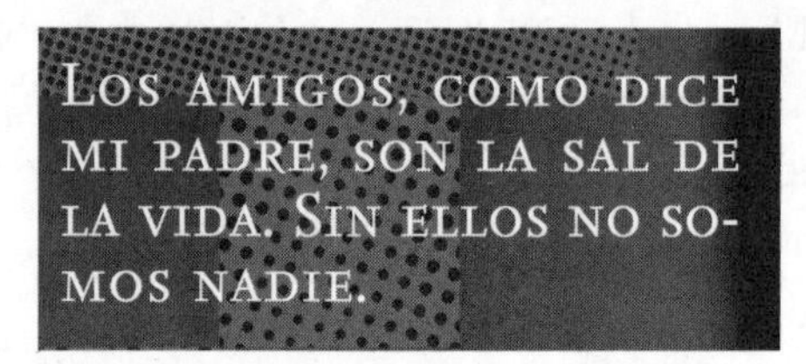

—Ya estoy mejor –dijo, señalando su nariz de berenjena–. Dentro de poco podré volver a los entrenamientos.

—¿Y el teatro? –le pregunté.

—Paso del teatro –dijo despectivamente–. Prefiero el fútbol, es mucho mejor. Además, ahora asustaré a los contrarios. Se van a acojonar cuando me vean venir hacia ellos.

—Es verdad, se te ha puesto cara de bruto –dijo Emilio en tono de admiración–. Esa nariz partida te da una imagen feroz.

—Hola, León, ¿cómo te encuentras? –saludó Ángel, acercándose.

—¿Ya te ha echado tu madre de casa? Seguro que estaba harta de ti, ¿verdad? –comentó Vanessa.

—Me he escapado en cuanto he podido –reconocí–. Eso de estar en la cama, dejándote cuidar como un niño, no va conmigo. Yo necesito acción.

—Pues llegas a tiempo –dijo Emilio–. Te necesitamos.

—¿Pasa algo?

—Sí, que el pavo ese que acosaba a Vanessa sigue dando la paliza. Viene a buscarla y la persigue por la calle.

—¿Se atreve a venir a nuestro territorio?

—Ya ves. Dice que está enamorado de Vanessa y que ella tiene que ser su novia aunque no quiera –explicó Ángel.

—Ya no sé qué hacer para quitármelo de encima –dijo Vanessa, un poco incómoda por la situación que estaba padeciendo.

—Se me está ocurriendo una idea –dije irónicamente–. Podemos invitarle a una clase de Salvador para que le lea un libro de esos que él conoce. A lo mejor se le quitan las ganas de seguir acosándote.

—Sí, si Salvador te lee un libro, cambias de actitud inmediatamente –dijo Ángel, riendo a carcajadas.

—No me gusta que os riáis de Salvador –terció Diana–. Hace lo que puede para ayudarnos.

—Pues si esa es toda la ayuda que podemos esperar, estamos apañados –dije–. Me parece que este problema lo tenemos que resolver nosotros.

—Nosotros no tenemos que resolver nada –insistió Diana–. Hay que poner el asunto en manos de las autoridades escolares. Hay que hablar con el director.

—¡Es asunto nuestro! –exclamé–. Para eso estamos los amigos... ¿O te gustaría tener a un acosador detrás te ti y que nosotros no hiciéramos nada?

—No digas tonterías. Yo no quiero que...

En ese momento, la sirena empezó a sonar y entramos en clase apresuradamente. A pesar de que la conversación quedó interrumpida, para mí las cosas estaban claras: ningún bárbaro iba a acosar a una compañera de grupo. *Leonsegundo* no lo iba a permitir.

A PESAR DE QUE LA CONVERSACIÓN QUEDÓ INTERRUMPIDA, PARA MÍ LAS COSAS ESTABAN CLARAS: NINGÚN BÁRBARO IBA A ACOSAR A UNA COMPAÑERA DE GRUPO.

Cuando Salvador apareció en clase, me di cuenta de que ahora me parecía un poco a él en lo de la bufanda. Y me preocupó, ya que, cuando te empiezas a parecer a tu profesor, es que algo va mal. Así que, sin que nadie se diera cuenta, guardé mi bufanda en la mochila, sobre todo para evitar las bromas que pudiera suscitar.

—Buenos días –anunció con su tono musical–. Veo que León ha vuelto, lo cual es un buen síntoma, porque significa que se ha curado. ¿Estás dispuesto a empezar las clases?

—Sí, profe, estoy preparado.

Después, se dirigió a la mesa, abrió la cartera y sacó un libro. Salvador era como un mago: cada vez que metía la mano en su cartera, sacaba un libro nuevo, igual que otros sacan conejos. Entonces me pregunté si me hubiera valido más quedarme en la cama.

—Hoy voy a hablar de uno de los grandes autores de la literatura universal... Kafka. Esta es una de sus mejores obras; se titula *La metamorfosis* y tiene uno de los comienzos más sorprendentes. Escuchad... Bueno, casi prefiero que alguno de vosotros lo lea... ¿León?

Me levanté, me acerqué al estrado y cogí el libro. Después de respirar profundamente, empecé a leer:

Una mañana, tras un sueño intranquilo, Gregorio Samsa se despertó convertido en un monstruoso insecto. Estaba echado de espaldas sobre un duro caparazón y, al alzar la cabeza, vio su vientre convexo y oscuro, surcado por curvadas callosidades, sobre el que casi no se aguantaba la colcha, que estaba a punto de escurrirse hasta el suelo. Numerosas patas, penosamente delgadas en comparación con el grosor normal de sus piernas, se agitaban sin concierto.

—¿Qué me ha ocurrido?

No estaba soñando. Su habitación, una habitación normal, aunque muy pequeña, tenía el aspecto habitual.

—Bueno, León, de momento, con eso vale... A ver, opiniones, ¿qué os parece este inicio? –preguntó a toda la clase.

Todos nos miramos un poco sorprendidos. Yo creo que no nos parecía nada interesante, aunque nadie se atrevía a decir nada, salvo Ángel, claro, que es un poco inocente.

—Me parece una tontería –dijo–. Es imposible que una persona se despierte siendo un monstruo.

—¿Estás seguro? ¿No crees que algunas personas se han convertido de un día para otro en seres monstruosos y deleznables? Piénsalo...

—Bueno, es que yo creo que la novela tiene un sentido metafórico, pero, en la realidad, eso no ocurre –comentó Diana.

—Sucede más de lo que parece. Mucha gente se vuelve monstruosa, el problema es que no se les nota por fuera y conservan su aspecto humano, pero, por dentro...

Entonces se hizo un ligero silencio. Era evidente que Salvador había dado en el clavo. Consiguió su objetivo de hacernos pensar... de hacernos pensar en lo que él pretendía.

—Yo conozco a alguien que se ha convertido en eso que usted dice –dijo Ángel–. Y hemos hablado de él esta mañana.

Pensé que, además de inocente, era idiota.

—El chico ese que acosa a Vanessa –dijo alegremente–. Ese tío es un monstruo.

—¡Es verdad! –afirmó Vanessa–. Es como Gregorio Samsa, un insecto repugnante.

—Un insecto al que hay que aplastar –dije.

—¡Tranquilos, tranquilos! –avisó Salvador–. Conteneos un poco. Que una cosa es leer un libro y entender su sentido para que nuestra concepción del mundo se amplíe y otra es convertir a una persona en un verdadero monstruo.

—Usted lo acaba de decir –le recordé–. Usted ha dicho que algunas personas se convierten en monstruos.

—Cierto, tienes razón... Es verdad que lo he dicho, pero solo he pretendido que comprendierais que debemos tener cuidado de no convertirnos en seres horribles He querido expresar que, a veces, las personas podemos actuar de forma monstruosa sin darnos cuenta.

—Pues ya ve que lo hemos comprendido –dije–. Le hemos comprendido perfectamente.

Salvador nos miró con preocupación, como si tuviera la sensación de que las cosas se le habían escapado de las manos. Cosa que, desde luego, había ocurrido. Me convencí de que teníamos que ocuparnos de ese Gregorio Samsa. Sí, definitivamente, ese comienzo de novela era muy bueno y muy adecuado para nuestro caso. De cualquier forma, era una buena ocasión para ayudar a mi amigo Ángel y, de paso, demostrar a Diana que podía contar conmigo para lo que hiciera falta. Yo sabía que eso le iba a gustar.

XXXI

Después de meditarlo durante una semana decidimos ir a buscar al acosador para explicarle que las chicas de nuestra clase están bajo nuestra protección y que nadie puede molestarlas impunemente.

Pusimos manos a la obra y organizamos un plan que se llevó a cabo dos días después.

Una tarde, cuando la clase terminó, Vanessa salió sola del instituto, para dar la impresión de que estaba completamente indefensa. Nosotros la seguimos con disimulo desde lejos, separados, de forma que nadie pudiera detectar ningún grupo sospechoso. Vanessa parecía una de esas gacelas que se ven en los documentales: una presa fácil para un depredador.

Un par de calles más abajo, nos dimos cuenta de que alguien se le acercaba. Era un chico de unos veinte años, ágil, vestido con traje y corbata, que respondía al perfil que Vanessa nos había hecho. El monstruo había caído en la trampa.

Nos fuimos acercando sigilosamente mientras ella seguía andando muy despacio. Cuando llegamos a un callejón solitario, nos abalanzamos sobre él y le tiramos al suelo antes de que pudiera reaccionar:

—¿Qué pasa? –gritó el joven.

—¿Te llamas Gregorio? –preguntó Montes.

—No, os habéis equivocado, yo me llamo Luis.

—Pero eres un monstruo, ¿verdad? –insistió Ángel.

—¿Qué dices? ¿Estáis locos o qué? ¿Qué queréis?

—Venimos a decirte que no nos gusta que acosen a nuestras compañeras de clase.

CUANDO LLEGAMOS A UN CALLEJÓN SOLITARIO, NOS ABALANZAMOS SOBRE ÉL Y LE TIRAMOS AL SUELO ANTES DE QUE PUDIERA REACCIONAR.

—¡Yo no estoy acosando a nadie! ¡Vanessa es amiga mía y estamos charlando tranquilamente!

—¿Es verdad, Vanessa? –preguntó Diana.

—No, no es verdad. Le he dicho que se marchara y que me dejara en paz. Se lo vengo diciendo desde hace tiempo. Me está acosando.

—¡Yo no te acoso! ¡Estoy enamorado de ti y te cortejo!

—¡Te he dicho mil veces que no quiero nada contigo! –gritó Vanessa–. ¡Y no te voy a querer nunca!

—Tienes una forma muy extraña de seducir a una chica... –dijo Diana–. O sea, que cuando te dice que no quiere saber nada de ti, tú la persigues. ¡Eso es acosar!

—¿Es que no puede uno enamorarse?

—Lo que no puedes hacer es perseguir y molestar a una chica que no te quiere –replicó Diana.

—¡Los hombres de verdad no acosan a las jovencitas! –exclamó Ángel, dándole una patada en la pierna.

Le agarré con fuerza de la corbata mientras Ángel y Montes le sujetaban los brazos:

—¡Si vuelves a molestarla, te partiré la cara! –le advertí–. ¿Lo entiendes?

—¡No tienes derecho a amenazarme!

—Tengo el mismo derecho a amenazarte que el que tú tienes de acosar a Vanessa. Por eso es mejor que la dejes en paz. Te lo advierto, la próxima vez no perderé el tiempo hablando.

Estaba blanco como la pared, y yo creo que le faltó poco para ponerse a llorar. Como nuestra misión estaba realizada, empezamos a retroceder, sin darle la espalda, para que viera que, si intentaba algo, se iba a encontrar con la respuesta adecuada.

—Recuerda, Luis... ¡No vuelvas a molestarla! –le advertí, agitando el puño derecho.

—¡Monstruo, que eres un monstruo! –gritó Ángel justo antes de que empezáramos a correr.

Después, nos fuimos juntos a los videojuegos y nos divertimos un rato. Vanessa, que estaba muy contenta, nos invitó a unas bebidas. Todos nos sentimos muy unidos. Las chicas se sintieron protegidas, y nosotros habíamos cumplido con nuestro deber.

Luego acompañé a Diana hasta su casa y, desgraciadamente, las cosas se complicaron un poco.

—No creo que ese *pringao* vuelva a perseguir a Vanessa –dije, antes de darle un beso de despedida–. Conmigo estás segura, no dejaré que nadie te moleste.

—No hace falta que me defiendas –respondió–. Yo no soy como Vanessa.

—Sé que eres más atrevida que ella, pero no veo qué tiene de malo que quiera defenderte.

—No eres mi guardaespaldas y no quiero depender de ti para andar por la vida.

—Diana, tienes que comprender que es lógico que quiera protegerte.

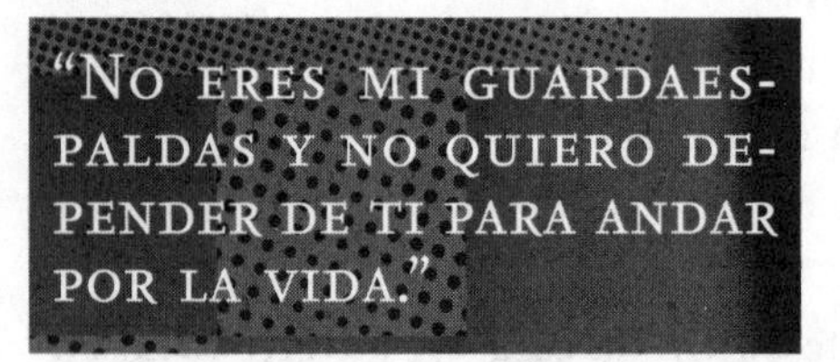

—Y tú tienes que entender que no quiero tu protección. Debo resolver yo sola mis asuntos.

—¡Hay que ver cómo eres! ¿Qué tiene de malo que quiera defenderte? –grité un poco exaltado–. ¿Puedes explicármelo?

—No soy de tu propiedad. No soy una gatita indefensa, no soy una inválida y tampoco soy tan débil como piensas. Y, sobre todo, no quiero que formes una barrera a mi alrededor.

—Pero necesitas protección. Eres mi novia y te protegeré aunque no quieras.

—León, no insistas... Y te recuerdo que no somos novios.

—¿Que no insista? ¡Pero si es mi obligación!

La conversación había subido de tono, y ya había empezado a

perder el control. Por mucho que me lo explicara, no lograba comprender a qué venía su insistente negativa. Un novio debe proteger a su novia. Esa es la regla del juego desde tiempos inmemoriales.

—Entre tú y yo no hay nada –insistió–. Por eso no es necesario que me protejas. No tienes ningún compromiso conmigo.

Sus palabras me llenaron de ira. Por eso, no pude o no quise impedir que mi mano se levantara, dispuesta a estamparse contra su cara.

—¿Qué haces? –gritó, dando un paso hacia atrás–. ¡Ni se te ocurra...!

Tomé conciencia de lo que estaba a punto de hacer y tuve que hacer un tremendo esfuerzo para aguantar las ganas de...

NO PUDE O NO QUISE IMPEDIR QUE MI MANO SE LEVANTARA, DISPUESTA A ESTAMPARSE CONTRA SU CARA.

—¡Estás loco! –escupió–. ¡No quiero volver a saber nada de ti!

Fue un momento delicado. Por un lado, pensaba que debía enseñarle a respetarme, pero, por otro, algo me decía que no debía hacerlo, que no era buena idea pegarle, que un hombre no debe pegar a una mujer. Era como si estuviera escuchando a la vez la voz de mi padre y de mi madre.

Entonces, lentamente, controlándome mucho, mi mano empezó a retirarse y fue a ocultarse en el bolsillo de mi pantalón. Lo más duro había pasado y ella lo notó. Percibió claramente el esfuerzo que hice para no pegarle. Por eso, sin decir palabra, dio un paso hacia atrás, entró en su portal y lo cerró de un golpe. Después, se alejó hasta que se perdió en la oscuridad del pasillo. Entonces tuve la sensación de que la había perdido para siempre.

XXXII

Aquella noche, cuando llegué a casa, me encontré con una desagradable sorpresa.

—Hemos tenido que llamar al médico. Tu padre ha tenido un ataque de tos y me he asustado –dijo mamá–. Ha sido tremendo.

—¿Qué ha dicho?

—Pues eso, que, como no ha querido curarse esa maldita gripe, las cosas se han complicado. Le ha regañado y le ha ordenado que vaya mañana a hacerse una radiografía: puede tener los pulmones encharcados.

—Voy a verle –dije.

Llamé a la puerta de su habitación y pedí permiso para entrar:

—Pasa, *Leonsegundo* –consintió, con una voz demasiado débil para mi gusto–. Pasa, hijo...

—Papá, ¿qué te ha pasado? –pregunté tímidamente, para no enfadarle.

—Nada, nada... Esa maldita tos, que se empeña en molestar –respondió–. No lo entiendo, otras veces he cogido gripe y he podido con ella. Pero esta vez...

—Mañana, cuando te hagas la radiografía, verás que no es nada. Solo tienes que cuidarte...

—¿Ya te ha contado mamá lo de la radiografía? ¡Desde luego, hay que ver cómo son las mujeres!

—Papá, no te enfades, solo se trata de un chequeo –dije, intentando tranquilizarle.

—¡A mí no me hacen falta ni chequeos ni radiografías ni nada! –gruñó–. ¡Soy fuerte como un toro!

—Por hacerte una revisión no pasa nada...

—¿Que no pasa nada? Ya verás lo que tendré que oír si me hago esa radiografía... Que si ya me estoy haciendo viejo, que si estoy debilucho, que si soy un carroza...

—Pero bueno, ¿quieres curarte o no? –exclamé, un poco harto de sus protestas.

—¡Pero si ya estoy casi curado! ¡Nunca en mi vida he necesitado tomar medicinas y no voy a empezar ahora! ¡Mira que llamar al médico por una simple tos y por unas décimas de fiebre!

—Escucha, ahora debes descansar –dije, arropándole un poco–. Mañana hablaremos, ¿vale?

—¡Ya le puedes ir diciendo a tu madre que no pienso bajar a que me hagan fotografías de mis pulmones!

Salí del dormitorio un poco preocupado. Tenía la voz ronca y estaba agotado. No me cabía en la cabeza que no quisiera tomarse una simple medicina para curar esa maldita gripe. No sé, pero papá era a veces impredecible.

Cuando entré en la cocina, me encontré con mamá y Verónica, que estaban hablando confidencialmente, casi en secreto. Mi presencia les hizo cambiar de actitud.

—¿Cómo está? –me preguntó mi hermana, un poco inquieta.

—Le veo bien –mentí–. Un poco cansado, pero tranquilo.

—Si le hubierais visto toser... Parecía que se quedaba sin aire y, por un momento, pensé que se iba a asfixiar.

—Mamá, por favor, no exageres –dije.

—Muy bien, León, encima regáñala por haberse preocupado de él –me reprochó Verónica–. ¿Qué habrías hecho tú en su lugar?

—¡Y yo qué sé! Pero antes de avisar al médico, habría esperado un poco.

—Desde luego, mira que eres bruto. Es que no cambias, macho... –me recriminó antes de salir de la cocina–. De tal palo, tal astilla.

Mamá me miró con un cierto aire de reproche. Estaba a punto de decir algo, pero no se atrevió.

—No digo que hayas hecho mal en llamar a Benito –acepté–. Pero papá necesita que le traten con cuidado.

—Lo que tu padre necesita es alguien que le cante las cuarenta. Alguien que le diga cómo son las cosas... Eso es lo que le hace falta.

Entré en mi habitación y encendí la televisión, dispuesto a evadirme. Zapeé un poco y, de repente, me encontré con un anuncio en el que aparecía un chico de mi edad, más delgado, pero que podía ser compañero de clase. Entraba en la cocina y su madre le decía: "Dile a tu padre que tiene que arreglar la luz de la entrada". El muchacho iba al despacho de su padre, y este le respondía: "Dile a tu

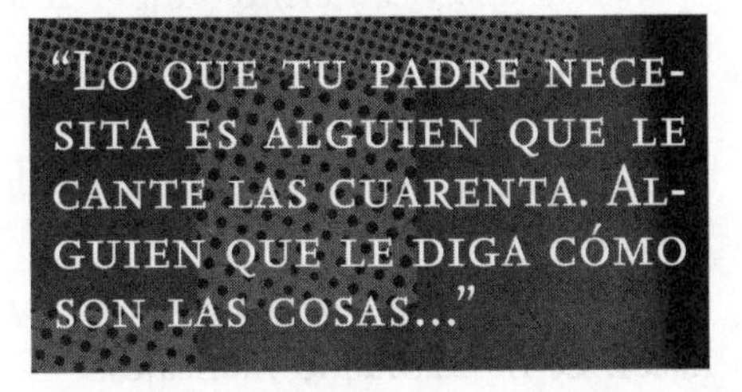

madre que estoy muy ocupado". El chico iba y venía, llevando los mensajes de sus padres, que se veía claramente que no se llevaban bien, hasta que, de repente, abría la nevera, sacaba una botella de *Coca Cola* y se la bebía. Entonces, como por arte de magia, el chico cambiaba el sentido de los mensajes y provocaba un acercamiento entre los padres: "Dice que se casaría otra vez contigo...", "Dice mamá que le gustas...", "Dice papá que eres preciosa...". Al final, el chico salía de la casa y los padres iban el uno en busca del otro... Un hermoso anuncio que aquella noche me hizo pensar que no se puede ser imparcial ante ciertos problemas. Y que estos no se arreglan solos. Y que si hacía falta tomar una *Coca Cola* para que se arreglaran, pues habría que hacerlo.

Luego, apagué la luz e intenté dormir, pero no me fue posible. La imagen de Diana cuando le di la segunda bofetada y su expresión de sorpresa se había instalado en mi cerebro y no quería desaparecer.

Serían las cinco de la mañana cuando tomé una decisión.

XXXIII

Al día siguiente, decidí ir a echar una ojeada a esos ensayos teatrales. Pensé que, si hablaba con Diana en su terreno, las cosas serían más fáciles, ya que se sentiría más a gusto. Cuando llegué, el escenario estaba vacío y supuse que se estarían preparando, pero estaba equivocado, ya habían terminado. Estaba pensando en marcharme cuando, afortunadamente, me encontré con Vanessa, que estaba saliendo.

—Está en el camerino –dijo–. Te ha visto, y no saldrá hasta que te vayas.

—¿Sigue enfadada?

—Rabiosa. No creo que te perdone. Esta vez te has pasado, macho.

—Le he pedido perdón y le he prometido que no lo volvería a hacer. Le he mandado mensajes.

—Ya lo sé, me lo ha contado, pero ya ves...

—¿Quieres que tomemos algo y hablemos? Te invito.

Unos minutos después, estábamos caminando hacia una cafetería. Yo estaba seguro de que Vanessa tenía la clave para reconciliarme con Diana.

Nos sentamos y pedimos un par de zumos.

—Creo que la culpa la tiene ese condenado Patricio –dije–. Estoy completamente seguro.

—Te equivocas. El problema es que ya no aguanta tu agresividad.

—Ayer me pasé de la raya. Se ve que me calenté con lo del acosador ese, y mira cómo terminó la cosa.

—Piensa que eres demasiado violento –insistió.

El camarero trajo las bebidas y nos dejó solos. Di un par de tragos y pensé en mi próxima pregunta.

—¿Tú crees que soy tan agresivo como ella piensa?

—Creo que tiendes un poco a la violencia y que eres propenso a resolver tus asuntos de forma contundente.

—Es que el mundo es así. Ahora todo el mundo es agresivo –respondí–. Además, a las chicas os gusta tener al lado a un chico que os proteja.

—Estás equivocado, León. De verdad, no entiendes nada. Las chicas sabemos que los que son agresivos con otros lo acaban siendo con nosotras. Por eso no nos interesan los que van de duros por la vida.

—No me digas que es mejor andar con peleles como Ángel.

—Ángel es un buen chico.

—Por eso no le haces ni caso.

—Pero me da más tranquilidad que tú. Confío en él, porque es pacífico.

—Yo solo uso los puños cuando hace falta. Eso no quiere decir que sea violento.

—No te engañes, León, Diana cree que lo eres, eso es lo que de verdad importa. Si quieres recuperarla, demuéstrale que estás más dispuesto a usar la cabeza que los puños.

—Como si para usar los puños no hubiera que usar la cabeza.

Acabamos de tomar los zumos y salimos a la calle. La conversación no me había aclarado demasiadas cosas.

—¿Sabes que Ángel quiso pelearse con Patricio por mi culpa?

—No me ha dicho nada. No tenía ni idea.

—No sé de dónde habrá sacado la idea de que me iba a gustar que se peleara por mí... Ya ves tú...

—Pero, ¿se han peleado o no? –quise saber.

—Se lo prohibí. Le dije que, si le ponía la mano encima a Patricio, dejaríamos de ser amigos.

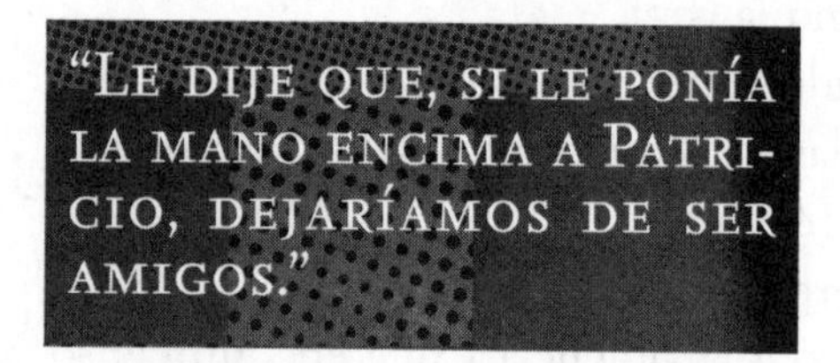

—Pobre Ángel, vaya disgusto se habrá llevado. Quería demostrarte que...

—¿Le has incitado tú, verdad?

—No ha hecho falta, está muy cabreado con Patricio... Por cierto, ¿ha vuelto a molestarte ese tipo? Ya sabes, el acosador.

—Le he visto por la calle, pero me ha evitado.

—No hay nada como poner las cosas en su sitio –dije–. ¿Sirve de algo la agresividad o qué? Si no fuese por nosotros, todavía tendrías ese problema. Pero a Diana eso no le importa. A ella solo le interesa el teatro y ese artista de Patricio.

—Me parece que te estás haciendo un lío –dijo, dando un paso hacia atrás–. Tienes las ideas completamente trastocadas. Espero que encuentres el norte antes de que se te complique la vida de verdad.

Salimos de la cafetería y volvimos hacia el teatro.

—¿Me acompañas a casa? –preguntó.

—No, me quedo a esperar un poco. Quiero hablar con ella.

—Que tengas suerte, te hará falta.

Vanessa se marchó, y me apoyé en la puerta dispuesto a esperar. Sin embargo, decidí afrontar la situación como un hombre y entré en el teatro.

—León, ¿qué haces aquí a estas horas? Los ensayos han terminado –dijo Patricio cuando me vio.

—He venido para hablar contigo. Tengo algo importante que explicarte.

Entonces se dio cuenta de que mi llegada no era casual. Se sentó en una de las sillas que formaban parte del decorado.

—Está bien, sube y hablemos.

Dejé mi mochila sobre una butaca de público y subí al escenario.

—Tú dirás...

—Pues, es que estoy preocupado por Diana.

—¿Qué le pasa? ¿Le ha ocurrido algo?

—Últimamente está muy rara. No me habla, y ya no quiere salir conmigo. Ya sabes que somos novios y...

—¿Novios? Pero, León, ella dice que solo sois amigos.

—Ya sabes cómo son las chicas. A veces les da por decir cosas raras, pero la verdad es que hace tiempo que estamos juntos, y yo la quiero.

—Pues habla con ella y explícale lo que te pasa. Dile lo que sientes y lo que piensas...

—Ya te digo que ahora no quiere escucharme –insistí–. Desde que ha empezado a ensayar, no quiere saber nada de mí.

Entonces se levantó y se acercó a la máquina automática de bebidas:

—¿Quieres tomar algo? Te invito a una *Coca Cola*... –dijo, introduciendo varias monedas.

Escuché perfectamente el ruido de las latas al caer. Se inclinó para cogerlas, las abrió y las puso sobre la mesa.

—Y creo que tú tienes mucho que ver con su actitud –solté, aprovechando que estaba dando un trago–. La culpa es tuya.

Casi se atragantó con mis palabras.

—¿Qué dices, León? ¿De qué hablas?

Hice una pausa para beber un poco y volví a la carga:

—Digo que Diana no me habla por culpa tuya. Digo que la estás convenciendo de que deje de salir conmigo... Y digo que estoy muy enfadado. Eso es lo que digo.

"Digo que Diana no me habla por culpa tuya. Digo que la estás convenciendo de que deje de salir conmigo... Y digo que estoy muy enfadado."

—Eso es una tontería –dijo–. Diana sabe muy bien lo que tiene que hacer, y no es una persona que se deje influir.

—No te pases de listo conmigo, que te conozco mejor de lo que piensas. Sé cómo eres, y no voy a permitir que fastidies mi relación con Diana.

—Si alguien la ha echado a perder, eres tú. ¡Solo tú! ¿O te crees que a las chicas les gusta que les peguen?

Patricio acababa de cruzar la frontera. No sé si se dio cuenta de lo que acababa de hacer, pero se había pasado.

—¿Qué dices? ¿Estás insinuando que yo he pegado a Diana?

—Yo no insinúo nada. Digo lo que todo el mundo sabe. Todo el instituto sabe que le has puesto la mano encima.

—¡Yo no le he pegado!

—¡Eso díselo a ella!

Noté cómo el puño se me cerraba y tuve que hacer un esfuerzo para no estampárselo en plena cara. Pero la cosa no iba a quedar ahí, no señor.

Bajé del escenario, cogí mi mochila y salí a la calle con la intención de esperar a Diana. Había llegado el momento de solucionar el problema. Diana tenía ahora que explicarme por qué le había contado a todo el mundo que le había pegado. Ella sabía perfectamente que lo había hecho sin querer. Sin odio, sin maldad, sin mala intención. Lo sabía perfectamente, pero mis explicaciones no le habían bastado. Esas eran las cosas que me confirmaban que mi padre tenía razón cuando decía que había que tener cuidado con las chicas.

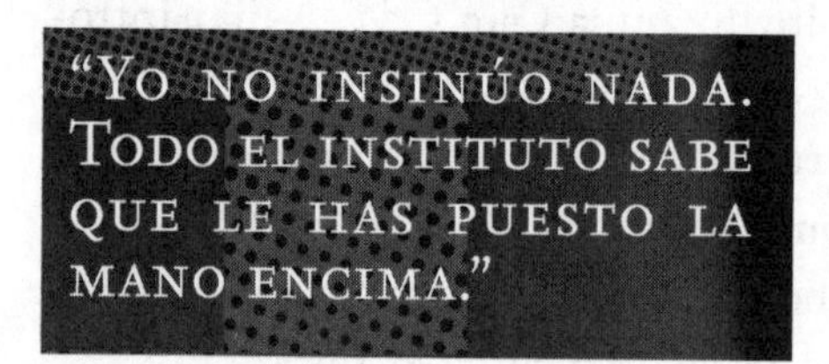

Diana salió unos minutos después, cargada con una bolsa.

—Hola, Diana, tengo que hablar contigo –dije.

—No tenemos nada que decirnos –respondió–. Absolutamente nada. He intentado darte una oportunidad, pero lo has estropeado todo.

—Pero antes te gustaba. Antes me querías.

—¿Antes de qué? ¿Antes de que me pegaras? Antes de que te dedicaras a amenazar a la gente?

—¿Lo dices por el acosador?

—¿Es que has amenazado a alguien más?

—Escucha, necesito que hablemos tranquilamente.

—Otro día, ahora tengo que irme a casa. Ya es muy tarde.

Se marchó y me quedé solo en la puerta. Estaba claro que nuestra relación se había quebrado, y me iba a resultar excesivamente difícil recomponerla, sobre todo porque no estaba acostumbrado a disculparme ante nadie.

Mientras me dirigía hacia casa, me di cuenta de que estaba deprimido y de que no podía controlar mis pensamientos. La vida se me había complicado y no lograba explicarme cómo había sucedido. ¿Qué había hecho para estar tan mal? ¿En qué me había equivocado?

XXXIV

Cuando pasé delante del bar de Lucio, vi que mi padre estaba jugando a las cartas con sus amigos. Aunque estuve tentado de entrar, preferí no hacerlo, pues era tarde y no tenía ganas de hablar. No habría sido capaz de explicarle que había pegado a Diana por segunda vez.

Entonces descubrí a mi madre, que salía del portal para tirar la bolsa de la basura al contenedor. Se movía lentamente, apoyándose en la pared. Tuve una extraña impresión, pero no fui capaz de entender a qué se debía su comportamiento. Entonces, de repente, se tambaleó, la bolsa se le cayó de la mano y tuvo que agarrarse a la farola para no caerse.

Salí corriendo en su ayuda, temiendo que el episodio del desmayo volviera a repetirse.

DE REPENTE, SE TAMBALEÓ, LA BOLSA SE LE CAYÓ DE LA MANO Y TUVO QUE AGARRARSE A LA FAROLA PARA NO CAERSE.

—Mamá, ¿estás bien?

Me miró como si no me conociera y, durante unos segundos, tuve la sensación de que se iba a caer o a perder el conocimiento.

—¿León? Hijo, ¿eres tú?

—Sí, mamá soy yo. Anda, ven, apóyate, que te ayudo a subir a casa.

—Gracias, hijo. Pero no pasa nada... Estoy un poco mareada, eso es todo...

Me acerqué para sujetarla, pero tropecé con la bolsa de la basura que se le acababa de caer de las manos. La recogí para lanzarla al cubo, pero algo me llamó la atención: se había roto y una botella de ginebra esparcía sus cristales por el suelo. Me extrañó mucho, porque mi padre era hombre de brandy y odiaba especialmente la ginebra. Decía que las bebidas blancas eran cosa de mujeres. Se lo había oído decir miles de veces: *Leonsegundo, nunca pidas bebidas blancas, es cosa de mujeres.*

Era una de sus frases emblemáticas. Y debía de ser verdad, ya que había visto algunas veces tomar un poco de anís a mamá y a mis tías en las fiestas familiares.

Recogí todos los cristales, los arrojé al cubo y me ocupé de mamá.

—Anda, vamos a casa, que aquí hace mucho frío y te puedes constipar –dije.

—Sí, como tu padre, que acabará contagiándonos a todos.

Cuando la agarré de la cintura, mis peores sospechas se confirmaron: su aliento era pura ginebra.

Entramos en el portal y nos metimos en el ascensor. Pulsé la tecla y el aparato empezó a subir.

—León, hijo, no quiero que pienses que...

—Vamos, mamá, no te preocupes.

—No creas que estoy borracha. Es que he tomado una copita para celebrar mi aniversario de boda.

—¿Qué dices?

—Pues eso, que hoy hace veinte años que tu padre y yo nos casamos, y he querido celebrarlo.

El ascensor se detuvo y la ayudé a entrar en casa. Una vez en el salón, se sentó en el sofá.

—¿Quieres que te haga un té o alguna otra cosa? –le propuse.

—No gracias, lo que quiero es que...

—¿Qué?

—Quiero que seas un buen chico –logró decir de un tirón, sin trabarse.

—Pero, mamá, ya soy un buen chico.

—Prométeme que nunca pegarás a tu novia.

Aquellas palabras me paralizaron. Por un momento se me ocurrió que, a lo mejor, papá le había contado lo de Diana, pero enseguida lo descarté. Él jamás haría eso.

—Claro que te lo prometo.

—León, hijo, nunca debes pegar a la mujer que amas.

—Nunca lo haré...

—Y si lo has hecho, júrate a ti mismo que nunca lo volverás a hacer.

—Mamá, no insistas.

—Eso es lo peor que un hombre puede hacer. No hay excusas.

—Los jóvenes de ahora ya no hacemos esas cosas. Eso pertenece a la época pasada.

—Ya sé que eres una buena persona, pero me preocupan las influencias. No debes dejar que... nadie te convenza de que tienes derecho a ponerle la mano encima a tu chica. No dejes que te inculquen ideas...

En ese momento, la puerta se abrió y oímos la tos de papá. Se asomó por la cocina, nos miró durante un instante y, después de un tenso silencio, dijo:

—Es tarde, me voy a acostar.

"NO DEBES DEJAR QUE... NADIE TE CONVENZA DE QUE TIENES DERECHO A PONERLE LA MANO ENCIMA A TU CHICA. NO DEJES QUE TE INCULQUEN IDEAS..."

Se dirigió a su habitación y cerró la puerta tras él. Estoy seguro de que había bebido más de la cuenta. Ginebra y brandy, dos bebidas que no deben mezclarse.

XXXV

Salvador decía que no hay que tener miedo a pensar, así que su juego favorito consistía en invitarnos a usar el cerebro. Le gustaba usar esa expresión.

—Hoy os voy a proponer un juego apasionante –dijo–. Vamos a imaginar cómo seremos dentro de diez años.

Sus palabras no parecieron interesar demasiado a nadie hasta que alguien hizo una gracia:

—Profe, dentro de diez años usted estará jubilado.

—Sí, y llevará unas gafas con culo de vaso –añadió otro–. Necesitará un perro guía para salir a la calle.

El ambiente se animó mucho, porque, solo con imaginar a nuestro profesor ciego como una estatua, nos partimos de risa.

—Bien, vale, de acuerdo, yo estaré ciego –aceptó–. ¿Y tú, cómo estarás?

—¿Yo? Yo seré rico y le compraré los cupones de la Once...

La ocurrencia tuvo gracia y provocó más risas.

Salvador esperó un poco a que el ambiente se calmase para volver a la carga. Estaba empeñado en llevarnos a su terreno.

—Si me compras los cupones es que viviremos en el mismo barrio, ¿no?

—Me haré rico con el cuponazo. Ganaré un montón de millones con los cupones que le compraré. Me haré rico gracias a mi profesor de literatura.

Todo el mundo se moría de la risa.

—Me rindo. Está visto que tendrás suerte y que te harás rico. ¿Alguien quiere decir algo?

Nadie estaba dispuesto a hacer el ejercicio de imaginar cómo estaría en el futuro. Eso solo lo hacen las personas mayores.

—¿Y tú, Diana, no te imaginas dónde estarás dentro de diez años?

—Es imposible saberlo –respondió–. No tengo ni idea.

—¿Habrás conseguido ser actriz? ¿Crees que serás actriz?

—Ojalá, pero es muy difícil. No creo que lo consiga...

—Yo sí lo seré –intervino Vanessa–. Estoy segura de que lo conseguiré.

—Lo conseguirás si te acuestas con los directores –dijo Manolo–. Es la única forma.

—¡Eso es una idiotez! –bramó Vanessa, muy indignada–. ¡Yo no me acostaré con nadie y seré actriz!

—Vanessa tiene razón –dijo Salvador–. No es cierto que todas las actrices se acuesten con el director o con el productor. Esa es una gran mentira. Igual que es falso pensar que solo se triunfa pasando por la cama de los jefes.

—¡Seré actriz y no me acostaré con quien yo no quiera! –insistió Vanessa–. No tengo que aguantar esas idioteces.

—Compréndelo, Vanessa, es que estás muy buena y todos querrán...

—Basta, ya está bien –cortó Salvador–. Veamos si alguien tiene alguna idea sobre su futuro... León, me gustaría escucharte.

—Yo seré futbolista. Y si el entrenador o alguien me hace alguna proposición sexual, le partiré la cara –expliqué con firmeza.

Se hizo un extraño silencio. Mis palabras les habían impactado a todos.

> "YO SERÉ FUTBOLISTA. Y SI EL ENTRENADOR O ALGUIEN ME HACE ALGUNA PROPOSICIÓN SEXUAL, LE PARTIRÉ LA CARA."

—Bueno, me gusta saber que lo tienes tan claro –dijo Salvador–. Pero, ¿crees que la violencia soluciona los problemas? ¿Crees que, si alguien le propone algo a una chica, debe partirle la cara?

—Lo que digo es que, si alguien me hace una proposición a mí o a mi chica, le daré una paliza. Así de claro.

—Eso no soluciona el problema –dijo Diana–. Y a mí no me gustaría tener un novio que le parte la cara a la gente con la que trabajo.

—Si yo fuese tu marido y alguien te acosara sexualmente, te aseguro que le quitaría las ganas de molestarte –dije con rabia–. Nadie molestará a mi novia a o mi mujer.

—O sea, que, dentro de diez años, estarás peleando con todos los que te hagan proposiciones a ti o a tu mujer.

—Exactamente. Pelearé con quien haga falta para que nos respeten. Y eso va por todos los que están aquí.

—Pues no creo que yo llegue a ser tu mujer –dijo Diana, poniéndose en pie–. No quiero pasarme la vida de pelea en pelea.

—¿Es que no te gustaría tener un marido que te protegiera?

—¡Yo no quiero un marido para que me proteja! Eso ya lo sé hacer yo sola –respondió furiosa–. Yo quiero un marido que quiera resolver todos los problemas con inteligencia y no a puñetazos. Eso es lo que yo quiero. ¿Entiendes?

A veces, las chicas dicen cosas que no piensan y hay que saber entenderlas. Por eso no seguí discutiendo.

XXXVI

Verónica solía llegar tarde de trabajar; casi no hablaba y se ocultaba en su cuarto. Todo indicaba que algo iba mal, pero no había forma de saber de qué se trataba, ya que se encerraba en sí misma. Hasta que una noche, mientras cenábamos, se puso a llorar. Eso nos alarmó.

—Pero, bueno, ¿se puede saber qué te pasa? –preguntó papá.

Mi hermana no respondió. Estaba hecha un mar de lágrimas y no había forma de sacarle un sola palabra.

—Desde luego, las mujeres os pasáis la vida llorando –insistió mi padre, que a veces es un poco pesado con sus cosas–. Seguro que se trata de asuntos de amores.

Pero yo me preocupé bastante. Estaba seguro de que Verónica no lloraba por cualquier tontería y, desde luego, habría jurado que no era por un asunto de amores. Seguro que no.

—¿Quieres contarnos qué te pasa? –pregunté suavemente–. ¿Podemos ayudarte?

—Vamos, vamos, no seamos blandengues –dijo papá–. A Verónica siempre le ha gustado mucho llamar la atención.

Miré a mamá y me di cuenta de algo sorprendente: ella sabía lo que le pasaba a Verónica. Las dos mujeres de la casa compartían un secreto, mientras que los hombres estábamos fuera de juego.

—¿Seguro que no quieres contarnos lo que te ocurre? –insistí.

—Es que no es nada importante –susurró–. No pasa nada.

—¿Lo ves, *Leonsegundo*? ¿Te das cuenta como ella misma lo dice?... Nada, nada, cosas de chicas...

Entonces, mamá dijo algo sorprendente:

—Anda, Verónica, cuéntales a tu padre y a tu hermano lo que te pasa. A lo mejor ellos te pueden ayudar.

Eso es lo que dijo, pero el tono que empleó fue el equivalente a haber dicho lo contrario: "Anda, cuéntales a los hombres de la casa tu problema, ya verás como no te ayudan, ya que no les interesa absolutamente nada lo que nos pasa. En esta casa, las mujeres no tenemos importancia".

—Es posible que podamos ayudarte –dije–. Dime qué te pasa.

Verónica dejó de llorar y se limpió la nariz.

—¿De verdad quieres saberlo? ¿De verdad te interesa saber por qué estoy angustiada?

—Claro que sí –afirmé.

—Pues te lo voy a contar... Verás, desde hace meses, en la oficina estoy sufriendo una situación de *mobbing*... ¿Sabéis que es el *mobbing*? El *mobbing* es un acoso que la dirección produce sobre los empleados. Mi jefe me acosa desde hace tiempo y, como no consigue nada, me maltrata. Me hace trabajar en exceso, me descalifica ante los demás, me insulta, me desprecia... Hace todo lo que puede para que me sienta mal y acceda a sus peticiones. ¿Lo habéis comprendido?

—Verónica, hija, ¿no estás exagerando un poco? –dijo papá–. Ningún jefe haría una cosa así.

"MI JEFE ME ACOSA DESDE HACE TIEMPO Y, COMO NO CONSIGUE NADA, ME MALTRATA. ME HACE TRABAJAR EN EXCESO, ME DESCALIFICA ANTE LOS DEMÁS, ME INSULTA, ME DESPRECIA..."

—¿Tú crees que exagera? –preguntó mamá, bastante indignada.

—La verdad es que sí, tenéis razón, soy una fantástica, y todo lo que os acabo de contar es una exageración mía. En realidad, la cosa es al revés. Soy una inútil que trabaja mal y mi jefe tiene razón al hacerme esos reproches continuos. Quizá mañana le pida perdón. Le diré que, gracias a vosotros, me he dado cuenta de que soy una incompetente. Y que, si quiere, puede usar el látigo contra mí cada vez que quiera, que no me quejaré a nadie. Que mi padre y mi hermano están de acuerdo con los castigos que quiera imponerme.

Y sin decir nada más, salió corriendo a su habitación y se encerró.

A mi padre no le gustó nada la reacción de Verónica. Por eso, cuando lanzó aquella mirada agresiva a mi madre, comprendí que la semana siguiente ella volvería a cojear o a tener un brazo inutilizado.

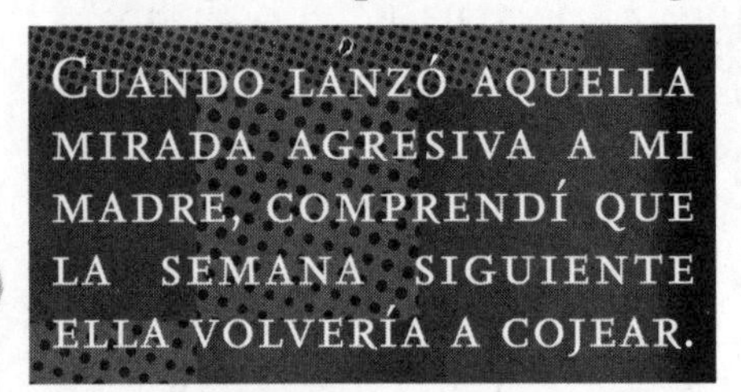

Me maldije por ser tan cobarde.

Cuarta parte

XXXVII

El director del instituto tuvo el detalle de venir personalmente hasta mi aula para darme una terrible noticia:

—León, han ingresado a tu madre. Tu padre ha llamado para que vayas inmediatamente a la clínica.

Me faltó tiempo para salir corriendo. Igual que la otra vez, salté semáforos en rojo y me golpeé contra varias personas a las que apenas pude pedir excusas. Finalmente, llegué a la Clínica Buenavista.

—Soy el hijo de Consuelo Sánchez. ¿Dónde está mi madre? –pregunté en recepción.

—En el segundo piso –respondió–. En la habitación 202.

Subí las escaleras y vi a papá, que estaba sentado en un banco tosiendo, estornudando, sin afeitar y en chándal.

—¿Qué ha pasado? –pregunté.

—Se cayó. Subió a una silla para coger algo y perdió el equilibrio –explicó–. Cuando llegué a la cocina, estaba casi desmayada.

No podría explicar por qué, pero sus explicaciones no me convencieron. Quizá porque se parecían demasiado a las de la otra vez. O a las de las otras veces. Mamá siempre se caía cuando estaba con él.

—¿Qué ha dicho el doctor?

—Le va a hacer más radiografías. Parece que puede haber una fractura, y la va a dejar en observación.

—¿Dónde está? Necesito hablar con él.

—En su despacho, ahora vendrá...

—Voy a verle. Quiero saber exactamente qué ha pasado...

—No creo que...

Pero ya había empezado a caminar, y sus palabras no me detuvieron.

Di dos golpes en la puerta del doctor Benito Flores justo antes de abrir:

—Doctor, ¿cómo está mi madre?

—Tranquilízate, León... Está sedada y ahora no tiene dolores...

—¡Quiero verla! ¡Necesito verla!

—Está bien, pero cálmate. Sígueme.

Fui con él, y me di cuenta de que papá venía detrás de nosotros. Mamá estaba acostada, con la habitación en penumbra, los ojos cerrados, inmovilizada y sin poder hablar. El silencio era absoluto y no había nada que hacer.

—¿Cuándo despertará? –pregunté.

—Tardará todavía unas horas.

—Quiero que me cuente exactamente lo que tiene. Dice mi padre que puede ser grave.

—Tiene una ligera fractura de costilla, pero no reviste gravedad. Conviene que se quede aquí un par de días en observación.

—Enséñeme su informe. Quiero ver las radiografías.

—Pero, León, hijo, Benito ya te ha explicado...

—Papá, no te metas. ¡He dicho que quiero ver el informe médico, las radiografías y todo su historial! ¡Ahora!

—No debes ponerte así –insistió papá, intentando tranquilizarme.

—¿Y qué quieres que haga? ¿Pretendes que cierre los ojos, igual que he hecho toda mi vida?

—No entiendo, no sé a qué te refieres.

—Doctor, deme lo que le he pedido –insistí.

—Acompáñame.

"¿Y QUÉ QUIERES QUE HAGA? ¿PRETENDES QUE CIERRE LOS OJOS, IGUAL QUE HE HECHO TODA MI VIDA?"

Fuimos hasta su despacho, pero antes de entrar le dije a papá:

—Espérate aquí. Quiero hacer esto solo.

Se quedó de piedra; no esperaba una negativa tan tajante. Comprendió que debía de estar verdaderamente furioso para hacer una cosa así.

Cerré la puerta detrás de mí y me encontré a solas con el doctor Benito Flores, que, después de haber sacado la carpeta del archivo, me preguntó, antes de entregármela:

—¿Estás seguro de lo que haces?

Sin responder, me senté ante una mesa y abrí cuidadosamente el dossier.

XXXVIII

Después de leer minuciosamente el informe, llegué a la conclusión de que las cosas no podían seguir así. De que esa no era vida para nadie. Esquivé a papá hasta que, una hora más tarde, Verónica apareció, totalmente alterada y con un ataque de angustia.

—¿Cómo está mamá? –inquirió.

—No te alarmes –dijo papá–. La están cuidando.

—Pero, ¿cómo se encuentra?

—Un poco más rota –dije–. Un poco más destrozada.

Verónica, que comprendió el alcance de mis palabras, me miró con los ojos llenos de lágrimas. Estaba tan abatida que no fue capaz de emitir un solo sonido. A veces, el silencio es tan elocuente que se expresa mejor que las palabras.

Lo malo es que el silencio se estaba empezando a instalar entre nosotros. Lo noté cuando Verónica dirigió una mirada acusadora a papá. Silencio brutal, silencio de protesta, de queja y de lamento. Era el silencio que precede a la tormenta.

—Podemos irnos a casa –comentó papá–. Aquí no hacemos nada.

—Yo me quedo esta noche –dijo Verónica.

—Yo también me quedo con ellas –confirmé–. Márchate si quieres.

Ante nuestro asombro, papá se marchó. Era como si no le importase nada lo que ocurría en su familia.

—Estaré en el bar de Lucio –dijo–. Si pasa algo, llamadme allí.

Verónica y yo supimos que no iba a pasar nada y que no iba a ser necesario llamarle. Comprendimos que nuestro padre no tenía demasiado interés en demostrar a sus hijos que se preocupaba por la salud de su mujer.

—Podemos sentarnos en ese banco –propuse–. Estaremos cerca de su habitación.

Verónica me hizo caso, y nos acomodamos de la mejor manera posible sobre el asiento de plástico. Las noches en las clínicas son muy largas, y esta no iba a ser diferente.

—¿Sabes qué ha ocurrido esta vez? –preguntó.

—Dice papá que se ha caído.

—Claro, la otra vez se desmayó, ahora se cae... Y la próxima vez...

—No habrá próxima vez –afirmé–. Te lo juro.

—¿Y qué vas hacer? ¿Cómo lo vas a impedir?

—Haré lo que sea necesario, pero no estoy dispuesto a permitir que mamá se vaya quebrando de esta manera. ¡Ya no lo aguanto más!

—Escucha, León, debes tranquilizarte. Hay que hacer las cosas bien y evitar que mamá se lleve un disgusto; lo último que necesita es una guerra en casa.

—Lo último que necesita es volver aquí a que la recompongan... ¿Sabes cómo tiene los huesos? ¿Sabes cuántas fracturas tiene? Hace un rato he leído su ficha, y te aseguro que es aterradora...

Cerró los ojos y susurró:

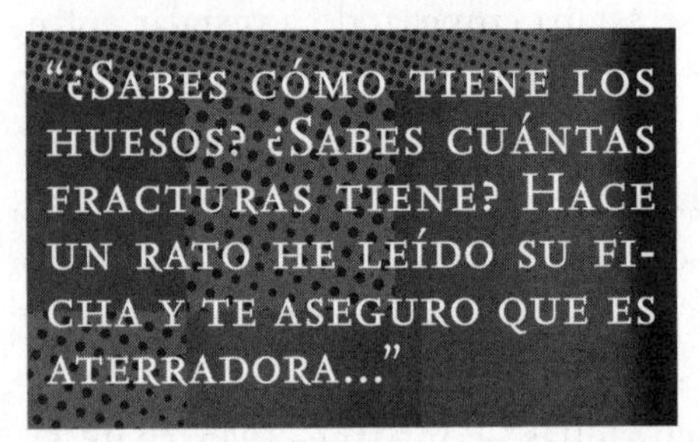

—Lo sé, lo sé...

—Hace tiempo que lo sabes todo, ¿verdad?

—Una hija sabe todo lo que le pasa a su madre...

—Claro, y un hijo es cómplice de lo que hace su padre.

—No te mortifiques, no es culpa tuya. Te has convertido en lo que han querido convertirte. Eres el personaje que se espera de ti. No es culpa tuya.

—¿Ah, no? ¿Y de quién es la culpa, si puede saberse?

—No hay culpa. Algunos hijos hacen lo que los padres quieren que hagan...

—¿Quieres decir que todos los padres pueden convertir a sus hijos en muñecos?

—No todos. Es un problema difícil de explicar; es algo así como las fieras que enseñan a sus cachorros a cazar, sin importarles a quién atrapan. Es una tradición.

—Pero no somos animales.

—Era un ejemplo. No somos animales pero, a veces, tampoco somos demasiado humanos.

Verónica era apenas tres años mayor que yo, pero parecía dotada de una sabiduría que yo estaba lejos de alcanzar. Me di cuenta de que podía sacar provecho de sus conocimientos y la hice hablar. Para resumir, diré que aprendí más en esa noche que en toda mi vida. Descubrí que el hecho de llamarme *Leonsegundo* no era un juego casual, igual que el resto de las cosas que me ocurrían, así que empecé a hacerme preguntas.

Al amanecer, sabía que tenía que llamar a Diana y hablar con ella de otra manera. Verónica había cambiado mi forma de ver las cosas.

XXXIX

En esta ocasión, mamá tardó una semana en volver a casa. Durante ese tiempo, Verónica y yo nos turnamos en la clínica para no dejarla sola, aunque es cierto que papá también la acompañó algunas veces.

Tardamos algún tiempo en recuperar la normalidad familiar, pero lo conseguimos, aunque reconozco que la rutina anterior había desaparecido y era evidente que nunca la volveríamos a recuperar. Cuando pasan cosas graves, la realidad queda definitivamente alterada, como solía decir Salvador cuando se ponía en plan literario.

En esta ocasión, mamá tardó una semana en volver a casa.

Naturalmente, yo estaba deseando volver a mi vida habitual, si bien, después de todo lo que había sucedido, sabía que iba a ser imposible. Pero lo que más ansiaba era estar de nuevo con Diana. La había visto en clase, pero no tenía el estado de ánimo adecuado para hacerle proposiciones. Decidí tener paciencia hasta encontrarme en condiciones de hablar con ella e intentar una nueva forma de relación.

—*Leonsegundo*, esta tarde tenemos reunión en el bar para organizar los entrenamientos y los encuentros que quedan para esta temporada –dijo papá, después de comer.

—Tengo que pedirte un favor –dije.

—¿No puedes ir? ¿Tienes una cita con Diana?

—Quiero que dejes de llamarme *Leonsegundo*.

Le dio un pequeño ataque de tos, que se le pasó con un vaso de agua que Verónica le puso en la mano.

—Quiero que me llames León. Así, a secas –añadí.

—¿Qué tiene de malo que te llame *Leonsegundo*?

—Que no me gusta. Y ya tengo edad para decidir cómo quiero que me llames.

—Vaya, pues, si es lo que quieres, lo intentaré.

—Bien, muchas gracias.

Ciertamente, no fue una de nuestras mejores reuniones familiares, pero logré imponer mi criterio y me quedé bastante a gusto.

XL

Salvador entró en clase con el mismo aspecto de siempre: portando la bufanda roja que le colgaba hasta los pies y sujetando la vieja cartera de cuero en la que traía habitualmente alguna desagradable sorpresa para nosotros. Ángel y Montes estaban conmigo, y decidimos interrumpir nuestra charla para prestarle atención. Salvador era un hombre prudente, que no solía regañarnos por cualquier cosa, pero tampoco permitía que nadie se le subiera encima. Por eso convenía tratarle con respeto. Los que se habían equivocado con él lo habían pagado caro. Los suspensos de Salvador eran implacables.

—Buenos días a todo el mundo –dijo–. Hoy vamos a hablar de una de las mejores historias que se han escrito jamás: *El retrato de Dorian Gray*.

—¿Es un libro de fotografía? –preguntó Ángel, que como siempre andaba en la luna.

—Es un libro sobre un retrato pintado a mano por un artista. Es el retrato del alma de un ser perverso, llamado Dorian Gray. Su autor, un escritor inglés conocido como Oscar Wilde, escribió sobre algo que nos corroe a todos y cuya existencia nos negamos a aceptar: nuestra propia maldad y nuestra falta de conciencia.

—Yo conozco a más de uno que actúa así –dijo Vanessa–. En las noticias salen muchos de esos. Dicen que aman a sus novias y esposas, pero luego las matan o las maltratan... ¿Se refiere a eso?

—En cierto modo, sí. Este libro cuenta la historia de un hombre que enamora a las mujeres y luego las abandona. Se lo pasa bien y es muy feliz, hasta que una de ellas se suicida por su culpa. Pero él no se siente culpable. Es insensible el dolor ajeno.

—Eso es lo que yo decía. Un asunto que está de moda.

—León, ¿puedes explicarnos qué te parece la actitud de Dorian Gray? –pidió Salvador.

—No he leído el libro, pero, tal y como lo ha explicado usted, deberíamos saber por qué actúa de esta manera... Cada persona tiene una manera de solucionar sus problemas, ¿no?

—Está bien, os invito a leerlo y la semana que viene lo comentaremos. Nos centraremos en el tema que se ha suscitado hoy –anunció.

—¿Solo una semana? –protestaron algunos.

—Una semana para leer un libro como este es más que suficiente –indicó–. Y servirá para los parciales. ¿De acuerdo?

Un murmullo de desaprobación confirmó que, aunque no estábamos de acuerdo, le íbamos a hacer caso. Con Salvador las cosas eran así. Es curioso, pero a veces me recordaba a mi padre; sobre todo en lo de la diplomacia. Los dos tenían en común que se salían siempre con la suya. Era algo que yo quería hacer, pero que nunca me salía bien. Estaba claro que aún me quedaba mucho por aprender.

Al finalizar la clase, le dije a Diana que quería hablar con ella.

—León, ya te he dicho que no tenemos nada que discutir –respondió–. Ya no somos más que compañeros de clase. Y si sigues insistiendo, me cambiaré de pupitre, te lo advierto.

—No me estás ayudando mucho –me quejé–. ¿Qué pierdes hablando conmigo? No te voy a hacer nada.

—Es posible que, si hablo contigo, alimentes esa idea que te has forjado de que me gusta que me maltrates. Por eso es mejor dejar las cosas bien claras. Mientras pienses así, no quiero nada contigo. Y punto. ¿Me he explicado?

Como vi que el entendimiento era imposible, la dejé marchar. Salí al patio, me uní al grupo de compañeros de equipo y traté de reintegrarme con ellos, ya que llevaba tiempo sin jugar.

—Me encuentro mejor –les expliqué–. Creo que dentro de poco volveré a los entrenamientos.

—Pues a ver si es verdad, que las cosas no nos van nada bien –dijo Andrés–. Estamos en mala racha con los entrenadores.

—¿Qué pasa con Mario? Todo el mundo decía que era muy bueno.

—Los que lo decían no estaban muy acertados que digamos –explicó Manolo–. Es peor que Kevin.

Sus palabras me sorprendieron. Mi padre me había dicho mil veces que Mario era un gran entrenador y que valía su peso en oro.

—Oye, ¿no estarás exagerando? –pregunté–. Ese tío es de los mejores entrenadores que...

—Querrás decir de los peores. Ya lo verás tú mismo cuando vengas a entrenar. Te vas a llevar una buena sorpresa.

—Entre los entrenadores y el profe de literatura, estamos apañados –protestó Andrés–. Ahora resulta que las chicas pueden hacer lo que quieran y nosotros nos tenemos que aguantar.

—Salvador no ha dicho eso –advirtió Ángel–. Ha dicho que son cosas distintas... Pero bueno, peor lo llevo yo con Vanessa, que le

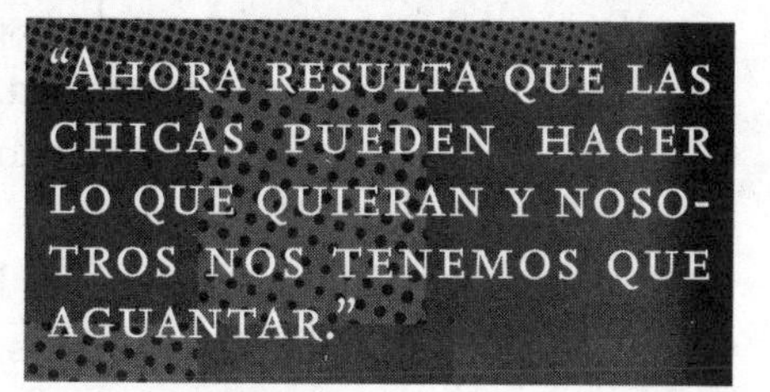

he vuelto a pedir que salga conmigo y me ha dicho que me va a denunciar…

—¡No fastidies! –exclamó Andrés.

—Me ha asegurado que un chico no puede pedir más de tres veces a una chica que salga con ella. Que, a la cuarta vez, se considera acoso.

—¿De dónde ha sacado eso? –pregunté–. Es una tontería. Un chico le puede pedir a una chica que salga con él las veces que le dé la gana…

—Vanessa tiene razón. Se ha puesto en contacto con una asociación de mujeres maltratadas y le han explicado que no debe aguantar que un chico la persiga. Le han dicho que, a la cuarta vez, puede denunciarlo –explicó Manolo con todo detalle.

Las palabras de mi amigo me pusieron los pelos de punta: ¿cuántas veces le había pedido a Diana que saliera conmigo y se había negado? Seguro que más de diez. Según lo que acababan de contar, estaba en peligro de ser denunciado.

—Así están las cosas, chicos. No podemos invitar a una chica más de tres veces; a la cuarta, te meten en la cárcel –se lamentó Manolo.

—Pues me he quedado sin salir con Vanessa –exhaló el pobre Ángel.

—Las cosas se están poniendo muy complicadas. Si te enamoras de una chica, puedes meterte en un lío.

—Bueno, tampoco hay que exagerar –dijo Andrés–. Solo hay que seguir las reglas del juego. En el fondo, es como el fútbol: si no sigues las reglas, te expulsan.

—¿Reglas? ¿A eso le llamas reglas del juego? –exclamé–. Eso es una imposición… una persecución.

—Te equivocas. Es una regla que sirve para todo el mundo. Si una chica te pide salir varias veces y te niegas, también puedes denunciarla por acoso.

—Pero ellas no nos piden salir –se lamentó Ángel–. Ya me gustaría a mí que Vanessa me lo pidiera… Ya me gustaría.

—Hay que seguir las reglas, chicos, hay que seguir las reglas… –aconsejó Manolo.

Sus palabras me hicieron pensar. Era evidente que tenía algo de razón… Solo se trataba de seguir las normas, así de sencillo. Pero, ¿cuáles eran las normas para impedir que un tipo te quitara la novia?, me pregunté cuando vi a Diana hablando con Patricio, al fondo del patio.

XLI

Después de estar varios días convaleciente, decidí que había llegado el momento de retomar mi actividad habitual, y un sábado por la mañana volví a los entrenamientos. Mis compañeros de equipo me recibieron con los brazos abiertos y Mario, el entrenador, me dio un abrazo memorable.

—Me alegro de que te hayas recuperado –afirmó–. Nos estaba haciendo falta alguien como tú, capaz de levantar la moral del equipo.

—Ya me han contado que las cosas no van muy bien –dije.

—Estamos teniendo mala suerte –explicó–. Últimamente no damos ni una, pero ahora que tú has vuelto las cosas van a cambiar.

Las caras de mis compañeros no coincidían con las palabras de Mario, pero no dije nada. Tuve la sensación de que la situación era peor de lo que me habían contado.

Salimos al campo e hicimos una carrera de calentamiento, pero la cosa no iba bien; algo fallaba, aunque no fui capaz de descubrir qué era. Todos los jugadores se movían sin coordinación y nadie, o casi nadie, seguía las órdenes de Mario. Según avanzaba la mañana, las cosas empeoraron. Finalmente, el entrenador se enfadó y detuvo los ejercicios:

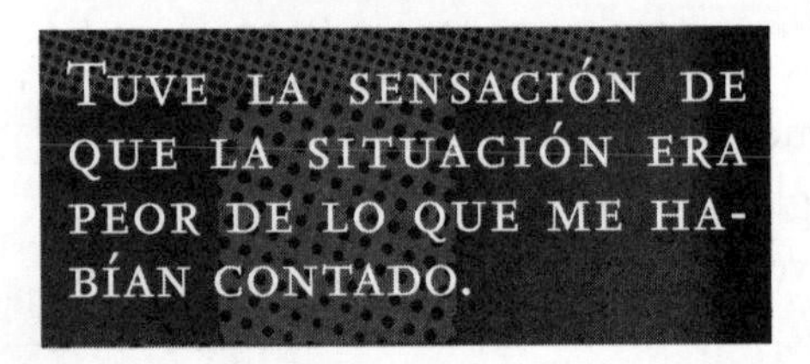

—A ver, ¿qué pasa? –preguntó–. ¿Alguien puede explicarme qué diablos está ocurriendo aquí?

Nadie respondió.

—¿Estáis sordos o qué? Venga, Andrés, explícate... ¡O hablas o te mando a casa para todo lo que queda de temporada!

—Casi prefiero quedarme en mi casa –respondió en tono insolente–. Total, para perder, prefiero no jugar.

Mario se quedó de piedra. Durante unos segundos, pareció que iba a golpearle, cosa que no ocurrió.

—¡Si perdemos es por culpa de gente como tú, que no tenéis espíritu de ganadores! –exclamó, acusando a todo el equipo–. Blandos y cobardes.

Un rumor generalizado se extendió por el grupo. Mario se había pasado de la raya y se iba a encontrar con la respuesta.

—¡Si perdemos es por culpa tuya! –exclamó otro–. Eres el peor entrenador que hemos tenido.

—Antes de que llegaras estábamos mal, pero ahora estamos peor.

—Es mejor no jugar, sabemos que vamos a perder.

—Solo nos has enseñado a dar golpes.

—No has sido capaz de coordinarnos.

—Ni de darnos instrucciones claras.

—No te queremos.

—Es mejor que te vayas.

—¡Márchate de una vez!

Mario estaba atónito, igual que yo. La rebelión era total, y nadie podía detenerla. Cuando la gente está harta, protesta, se queja y se rebela... Y eso es lo que estaba pasando. Después de una mala racha, el Buenavista había entrado en crisis. Y nadie estaba dispuesto a soportarlo. Y, curiosamente, yo estaba de acuerdo con mis compañeros. Si el entrenador que debe llevar al equipo por buen camino no es capaz de dirigirlo bien, debe retirarse. Es lo mejor para todos.

—¡Hablaré con la Junta! –exclamó, lleno de rabia–. ¡Voy a pedir sanciones para todos! ¡Haré que os expulsen!

Y salió corriendo.

La tensión era muy grande. El equipo estaba frustrado y era evidente que la única salida era deshacerse de Mario.

—¡Ya está hecho! –dijo Andrés–. ¡Ya sabe lo que hay!

Y era verdad. Ahora se notaba una gran sensación de alivio. Incluso yo, que no había asistido a los últimos entrenamientos, me sentí a gusto. Lógicamente, nadie puede apoyar a un incompetente. Y Mario lo era. No había dudas.

XLII

Lo cierto es que durante el entrenamiento hice exactamente lo contrario de lo que me había pedido mamá, y sudé mucho. Me había avisado de que no debía hacer esfuerzos y de que era necesario mantener ciertas precauciones, pero me empeñé tanto en desobedecer que esa misma noche me sentí un poco *fiebroso.*

—¿Qué habrás estado haciendo para encontrarte en este estado? –refunfuñó mamá cuando le pedí el termómetro–. Ya veremos ahora quién te cuida si recaes.

—Pues tú, mi mami, que es lo que mejor sabes hacer, cuidar a tu familia –dije, en plan mimosón, para ganármela.

—Sí, tómatelo a broma –respondió–, pero te advierto que las recaídas son muy malas. Algunas personas tardan mucho en reponerse. Eso si las cosas no se complican.

Papá entró en ese momento en el salón, tosiendo como siempre:

—No asustes al chico –me defendió–. Es joven y fuerte, y podrá recuperarse fácilmente, ¿verdad, *Leonsegundo*?

—Papá, ya te he dicho que no quiero que me llames así. Eso se acabó –dije, sacando el termómetro–. Vaya, tengo casi treinta y ocho y medio.

—Bueno, hombre, no te enfades. ¿Es que un padre no puede llamar a su hijo como quiera?

—No, no puede. Un hijo no es de su propiedad, así que no puede hacer con él lo que le dé la gana –respondí–. Mamá, tengo un poco de fiebre...

—Te estás volviendo muy débil. ¿Es que ahora necesitas que tu mamá te cuide?

> "Un hijo no es de su propiedad, así que no puede hacer con él lo que le dé la gana."

La verdad es que aquellas palabras me dolieron. Papá estaba rozando el límite de mi paciencia, pero no respondí a la provocación, que era lo que posiblemente buscaba.

—Creo que esta tarde los chicos del equipo le han montado una bronca descomunal a Mario –dijo–. Y me extraña que no le hayas defendido. Dice que le has dejado solo ante los demás.

—¿Tenía que haberle defendido? –respondí, un poco extrañado–. ¿Por qué tenía que haber hecho eso?

—Hombre, *Leonsegun*... Es mi entrenador. Y los hombres de verdad se apoyan entre sí. Si no nos defendemos entre nosotros, ¿quién lo va hacer?

—No sé, explícamelo tú –respondí, esperando una respuesta.

—Parece que no comprendes lo que te digo. Mario es el único que puede ayudarte a ser un futbolista profesional. Lo tengo todo arreglado con él... Va a ser nuestro representante.

Sus palabras me sorprendieron. ¿Qué era aquello de que iba a ser mi representante?

—Explícate mejor, que no lo acabo de asimilar –le pedí–. Estoy fuera de la jugada.

> "Parece que no comprendes lo que te digo. Mario es el único que puede ayudarte a ser un futbolista profesional. Lo tengo todo arreglado con él..."

En ese momento, mamá se acercó y me puso en la mano un vaso con un líquido amarillo:

—Tómate ahora mismo este *Frenadol* –ordenó.

Lo vacié de un trago y, a pesar de lo amargo que estaba, presté atención a las explicaciones de papá:

—Mira, hijo, Mario va a ser tu representante. Nos cobrará una comisión muy pequeña por tratarse de nosotros. Tiene muy buenos contactos y te encontrará un equipo que quiera ficharte. Incluso me ha dicho que ya tiene algo a la vista. Por eso debes apoyarle.

—Me estás dejando de piedra –manifesté–. Yo no tenía planes de fichar por ningún equipo. Ya habíamos acordado que me interesaba más estudiar que jugar al fútbol. Eso queda para más adelante.

—No seas ingenuo. Hay que coger las oportunidades cuando surgen, que luego pasan volando y no vuelven.

—Pero, papá, Mario es un mal entrenador. Y no creo que sea capaz de conseguirme un fichaje con ningún equipo. Además, ya te digo que no me interesa.

—¿Qué no te interesa? O sea, que el señorito no está interesado en ganar dinero... Pues muy bien... Claro, para eso estoy yo, para dejarme el alma trabajando hasta que me muera para que vosotros viváis como reyes...

Ahora sí que me preocupé de verdad. Se había puesto de pie y parecía verdaderamente enfadado.

—¿Cuándo hemos hablado nosotros de que yo iba a dejar mis estudios para dedicarme profesionalmente al fútbol? –pregunté.

—Es que no tenemos que hablarlo. ¡Soy tu padre y hago lo que más te conviene, lo mejor para ti!

—Papá, me parece que te has equivocado –concluí–. Pero ya lo hablaremos en otro momento, ahora me voy a acostar, que tengo fiebre...Cerré la puerta de mi habitación y me quedé apoyado en ella, consternado. Aún no podía creer lo que acababa de oír. De repente, me acordé de una frase que habría leído en el guión de la obra de teatro: *Un hombre es el rey de la casa*. Y me imaginé a mi padre interpretando el papel de Kowaslky... Fue toda una revelación.

XLIII

Algunos días después, y en vista de que no mejoraba y de que mi tos persistía, mi madre se empeñó en llevarme a la consulta del doctor Flores. Temía que mi recaída pudiera traer consecuencias irreversibles.

—Si me hubieras hecho caso, ahora no estaríamos aquí –dijo cuando entrábamos.

Yo sabía que lo mejor era mantener la boca cerrada, porque evidentemente tenía razón. Y no conviene discutir con una persona que tiene razón.

Había gente en la consulta, así que cogimos número y esperamos a que llegara nuestro turno, cosa que ocurrió al cabo de media hora.

—Vaya, la familia Gallardo –dijo Benito Flores, cuando nos vio entrar–. ¿Qué tal está la señora...?

—Bien, bien, pero hoy vengo por el chico. Ha vuelto a coger frío y tiene una fiebre que no me gusta nada. Y no para de toser.

—Claro, las recaídas son muy malas –afirmó–. A ver, siéntate aquí, que te voy a auscultar.

—No tengo nada... No es grave...

—Eso lo decidiré yo, jovencito –contestó–. Recuerda que tú eres el enfermo y yo soy el médico. Yo diré lo que necesitas para curarte.

Después de revisar a fondo mi garganta y de escuchar con el estetoscopio los ruidos que provenían de mis pulmones, me ordenó que me vistiera y me pidió que me sentara en la silla, al lado de mamá.

—La tos es persistente y puede haber dañado los conductos respiratorios; por eso, no debe hacer ejercicio, ni sudar, ni correr, ni nada que pueda alterar su ritmo habitual. El tiempo está muy cambiante y es mejor que se quede en cama unos días, por si acaso. Conviene que se proteja y que se tome este jarabe y algunos antibióticos.

—O sea, ¿que no es grave? –pregunté, un poco aliviado.

—¿Conoces alguna enfermedad que no lo sea? –dijo–. ¿Verdad que no?

Otra vez tenía razón.

—El problema de las enfermedades es que nadie sabe cómo pueden terminar. Por eso hay que vigilarlas y hacer lo posible para que se curen pronto. Hay que impedir que crezcan. Y no hay que provocarlas...

—Eso es lo que yo le digo, doctor, pero no me hace ni caso –dijo mamá.

—Ya, pues, mira quién fue a hablar –respondí, harto de estar callado–. Tus radiografías no son un buen ejemplo.

Mamá dio un respingo en la silla y me miró con asombro.

—¿Has visto mi historial? –preguntó–. ¿Lo ha visto, doctor?

Benito inclinó la cabeza y, finalmente, dijo:

—No tuve más remedio que enseñárselo. Se empeñó y...

Mamá se quedó demolida. Su expresión lo decía todo. Era peor que si la hubiera visto desnuda.

—Pero no se lo he contado a nadie –añadí inmediatamente para tranquilizarla–. Es un secreto entre nosotros, ¿verdad, doctor?

—Si tu padre se entera...

—Mi padre es el que te ha provocado esas roturas de huesos, así que lo sabe perfectamente...

—Pero no sabe que tú lo sabes.

—Él sabe que lo sé. Todos sabemos lo que pasa en casa, y ya es hora de que nos enfrentemos con el problema –dije con decisión.

—¡No debes enfrentarte a tu padre! –exclamó.

—Tu madre tiene razón –advirtió Benito–. No conviene provocar disputas familiares. Esa no es la manera de arreglar las cosas.

—Y no me voy a enfrentar por lo que ha ocurrido hasta ahora porque me siento tan culpable como él, pero no voy a permitir que siga pasando –contesté–. ¡Eso se acabó!

Benito y mamá se miraron con preocupación. Entendieron perfectamente que las cosas habían llegado a un límite intolerable. Por lo menos para mí.

—Está claro que hay un problema grave que solucionar, León, pero mantén la calma –dijo el médico, y luego miró a mi madre y añadió–: Hasta ahora yo tampoco he actuado bien; me he limitado a silenciar el asunto por no llevarte la contraria, Consuelo, pero esta vez, si vuelve a pasar algo, me veré obligado a denunciarlo a la policía. Es mi obligación.

—Pero, Benito, no puedes hacer eso –dijo mamá, bastante alarmada.

—Hace tiempo que tendría que haberlo denunciado –respondió, cogiéndola cariñosamente de la mano–. La próxima vez cumpliré con mi deber.

"HACE TIEMPO QUE TENDRÍA QUE HABERLO DENUNCIADO. LA PRÓXIMA VEZ CUMPLIRÉ CON MI DEBER."

Mamá y yo salimos silenciosamente del despacho, con un nudo en la garganta que nos impedía hablar.

XLIV

Todo se estaba corrompiendo a mi alrededor y aún no había solucionado uno de mis mayores problemas: reconciliarme con Diana. Así que la llamé y logré, después de muchos ruegos, que accediera a darme una cita.

—Si me dices que no, nunca volveré a pedírtelo –argumenté, consciente de que mis oportunidades se habían acabado–. Es mi última llamada.

—Está bien, a las siete en la cafetería –accedió secamente.

Entendí perfectamente que quería estar en un sitio público. En el fondo, era lógico que se sintiera más tranquila rodeada de testigos; sin embargo, me estremeció pensar que desconfiara tanto de mí. La situación había llegado demasiado lejos.

El tiempo se deslizó lentamente hasta que, por fin, a la hora prevista nos encontramos en nuestro local favorito. Entonces, sin rodeos, le planteé frontalmente la cuestión:

—Si no me ayudas, jamás levantaré cabeza. Te ruego que no rompas conmigo.

—Ya lo he hecho una vez, y solo ha servido para que amenazaras a Patricio, me volvieras a pegar y te convirtieras en un matón de barrio. Esas cosas van a peor... Dentro de quince años no quiero estar en la situación de...

—¿De mi madre?

—Y tampoco quiero que estés en la de tu padre...

—No, yo quiero que dentro de quince años estemos bien y seamos felices –dije–. Sin problemas.

—Pero los problemas no desaparecen. Al contrario, crecen.

—No te entiendo... ¿Qué hay en mí que no te gusta? ¿Qué es lo que te asusta?

—Tus palabras y tus pensamientos. Eso es exactamente lo que me da miedo.

—¿Qué dices? ¡Eso es una tontería! Los pensamientos no hacen daño.

—Piensas de una forma muy agresiva. Tienes el cerebro lleno de ideas equivocadas. Y eso te convierte en un compañero muy peligroso.

—Ya te he prometido que no volveré a pegarte –le recordé.

—No podrás cumplir tu palabra. Tendrías que pensar de otra manera, y no sé si lo conseguirás.

—¿Qué tengo yo de malo? ¿Qué tienen de malo mis ideas?

—Esas ideas te han convertido en una bomba de relojería que puede explotar en cualquier momento.

—¿Y qué puedo hacer?

—Aceptar que tienes un problema. No es cuestión de que yo te perdone, es cuestión de que cambies tu forma de pensar.

—Quieres convertirme en otra persona, y yo no puedo cambiar. Además, no serviría de nada.

—Claro que sí. A una persona se le notan las nuevas ideas más que un traje nuevo. Notaré que has cambiado cuando dejes de insultarme, de humillarme y de despreciarme... Cuando dejes de hablarme con ironía y cinismo... Lo notaré cuando me hables con respeto. ¿O crees que todo eso no se nota?

—Pero siempre te quedará el miedo a que pueda volver a pegarte...

—Si me tratas con respeto, sé que no me pondrás la mano encima. Tus ideas me protegerán. Nadie más puede hacerlo... ¿Entiendes lo que te digo?

Sus palabras eran tan claras que solo un idiota sería incapaz de comprenderlas. El problema era aceptarlo delante de ella. ¿Cómo se le dice a la chica que quieres que es más lista que tú? Mi padre la habría mandado a hacer gárgaras, y eso es lo que estuve a punto de hacer. Pero volvió a hablar...

¿CÓMO SE LE DICE A LA CHICA QUE QUIERES QUE ES MÁS LISTA QUE TÚ?

—León, tienes que aceptar que estás enfermo de machismo. Debes reconocer que tu forma de pensar sobre las mujeres no es adecuada. ¿Te imaginas que yo te dejara en ridículo ante tus amigos? ¿Te imaginas que yo te hubiera dado una bofetada por no obedecerme? ¿Te gustaría temer que, en cualquier momento, tu novia te puede volver a arrear un sopapo por no hacer lo que ella te pide? ¿Y si me pusiera en plan autoritaria y te prohibiera hablar con Vanessa u otras chicas? ¿Y si te dijera que no me gusta que te exhibas en el campo de fútbol?

Era la primera vez que alguien me hablaba de esa manera, pero, entre sus palabras, identifiqué algunas de las cosas que Verónica me había explicado. Y otras que mi madre, sin decirlas, me había transmitido.

—Si un día tenemos un hijo, ¿te gustaría enseñarle lo que tu padre te ha enseñado? Y si es una hija, ¿te gustaría saber que se va a casar con un hombre que la humilla y la maltrata? ¿Te gustaría saber que tu hijo pega a su mujer o que tu hija tiene que soportar malos tratos, a causa de las ideas que les habrás transmitido? Dímelo, dime lo que piensas sobre eso... Dímelo de corazón.

No encontré palabras para responder. Diana había sabido llegar hasta el fondo de la cuestión. Era indudable que tenía las cosas tan claras que no podía estar equivocada.

En aquel momento, comprendí que había llegado la hora de ver la realidad y poner las cosas en su sitio, sobre todo mis ideas.

—Esta vez no te pido perdón, te pido ayuda, que es muy diferente. Dime qué tengo que hacer. Dime dónde están mis problemas... Ponme deberes.

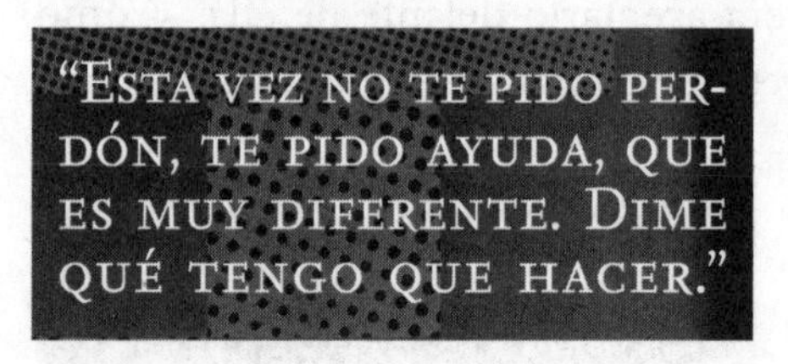

—No digas tonterías.

—Quiero que me eduques, que me enseñes a comportarme... Quiero que seas mi profesora. ¡Conviértete en mi maestra!

Mis palabras la sorprendieron completamente, y tardó en reaccionar.

—No sé si puedo ayudarte. No sé qué puedo hacer por ti.

—Sí lo sabes, sabes perfectamente dónde están mis fallos. Conoces mis problemas... Sabes lo que tengo que hacer.

—No te va a gustar que te lo diga. Y encima te vas a enfadar conmigo.

—Está bien... hagamos un juego. Yo digo cosas y tú me confirmas si voy bien... Así no tendrás que decir nada y no me podré enfadar contigo. Veamos... ¿Creo que soy más listo que tú?

—Sí.

—¿Se lo transmito a nuestros amigos?

—Sí...

—¿Mis ironías te humillan?

—Sí...

XLV

La Junta directiva del Buenavista Club de Fútbol se reunió una noche en el bar de Lucio con un solo tema en el orden del día: Mario.

El ambiente estaba muy caliente y las opiniones se hallaban excesivamente divididas. Unos estaban deseando quitárselo de encima, mientras que otros, entre los que se encontraba mi padre, le apoyaban y querían mantenerlo.

Papá tenía fiebre y estaba atacado por esa tos que no le abandonaba ni de día ni de noche, pero, a pesar de las protestas de mamá, decidió presentarse a la reunión ya que, según dijo: Un *hombre tiene que defender sus ideas y a sus amigos, incluso cuando está enfermo.*

Los jugadores estábamos invitados por si teníamos que dar nuestra opinión, que, en este caso, parecía importar. A las nueve de la noche, el bar estaba lleno a rebosar y la cerveza salía del grifo a tal velocidad que parecía un río de oro y espuma.

—¡Orden! ¡Orden y silencio! –gritó Aurelio, que ahora era presidente–. ¡Vamos a empezar la reunión!

Poco a poco se hizo un ruidoso silencio, ya que algunos seguían empeñados en mantener su propia reunión al margen de la oficial.

—¡Por favor, que esto es muy serio! –insistió Aurelio–. ¡Hoy es un día clave para el Buenavista Club de Fútbol!

El ruido se redujo un poco, pero estaba claro que no iba a bajar más.

—¡Está bien, empezamos! ¡El tema de hoy es la posible destitución de Mario! ¡A ver, votos a favor!

Tuve la sensación de que no le habían oído, porque nadie levantó el brazo. Pero estaba equivocado: sus palabras había tenido eco y algunas manos se alzaron.

—¿Por qué quieres despedir a Mario? –preguntó mi padre.

—No es que yo quiera despedirle. Simplemente no ha alcanzado los objetivos que habíamos previsto –explicó el presidente–. Además, no hemos ganamos un solo partido y los chicos están muy desanimados.

—Deberíamos darle una nueva oportunidad –insistió papá–. Todo el mundo necesita un poco de tiempo para formar un buen equipo.

—Hace semanas que Mario entrena a los chicos y no ha conseguido nada. Pero no quiero presionar a nadie. Prefiero que sean ellos los que den su opinión. A ver, Andrés, ¿qué tienes que decir?

—Hombre, yo no quiero descalificar a Mario, que me cae muy bien, pero...

—Venga, chaval, ve al grano –le apremió uno que fumaba un puro–. Que no tenemos toda la noche.

—Bueno, pues yo creo que tenemos que cambiar de entrenador –afirmó Andrés–. No ganamos nunca, y ya está bien de hacer el ridículo.

—A ver, Manolo, cuéntanos cómo lo ves –pidió Aurelio.

—Pienso lo mismo que ellos –confirmó–. Creo que debemos cambiar de entrenador.

Algunos de mis compañeros dieron su parecer y estuvieron todos de acuerdo en que era necesario despedir a Mario.

—Aquí tenemos testimonios de primera mano –dijo Aurelio–. ¿Qué más necesitas para estar seguro de que Mario no es el entrenador que el Buenavista necesita?

—¿Y a quién vas a proponer? –preguntó Bernardo, que es amigo de mi padre y le sigue siempre la corriente–. ¿Tienes a alguien?

—Pues he llamado al Colegio de Entrenadores y me han enviado una lista... Aunque algunos preferimos que Kevin vuelva...

—O sea, que ya das por hecho que lo vamos a defenestrar –soltó mi padre–. Lo has preparado todo para imponer a uno de los tuyos.

—Oye, León, recuerda que tú impusiste a Mario –se defendió Aurelio–. Ahora el presidente soy yo y hago lo que considero oportuno.

—Quiero que todos den su opinión –propuso Bernardo–. Ahora le toca a León Gallardo. Vamos, chico...

Todas las miradas se dirigieron hacia mí. Fue tan inesperado que mis ideas se embarullaron en mi cerebro. Habría preferido recibir un puñetazo en el estómago.

—Sí, que hable León –dijo mi padre–. Él nos puede explicar lo bueno que es Mario.

¿Lo bueno que es Mario? Pero si yo no sabía si era bueno o no. Yo había estado enfermo y casi no había asistido a los entrenamientos. Yo solo sabía lo que mis compañeros me habían contado y lo poco que había visto.

—La verdad es que... yo no puedo decir mucho –titubeé–. He estado enfermo y casi no...

—Vamos, hijo, coméntales a todos lo buen entrenador que es Mario –me animó papá–. Háblales de su técnica, de su disciplina...

—Deja hablar al chico –pidió el del puro–. Que ya es mayorcito para hablar por sí solo.

Decidí hablar claro:

—No puedo decir nada de Mario. Ni bueno ni malo. Solo sé lo que todo el mundo sabe: que no ganamos. Pero eso no significa que sea su culpa. Yo no soy el más adecuado para hablar de este tema.

Mi padre me lanzó una mirada que me dejó congelado. Seguramente esperaba que iba a apoyarle, pero yo no podía decir algo que no coincidía con mis pensamientos.

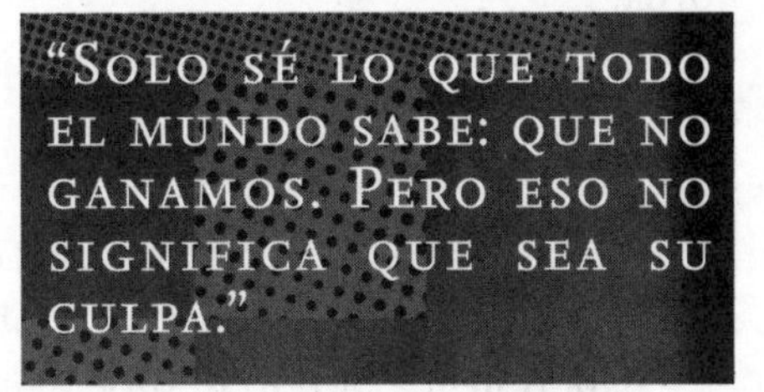

—Ahí lo tienes, León. Ni siquiera tu propio hijo tiene argumentos para apoyar a Mario –explicó Aurelio–. Por eso tenemos que votar, para que la mayoría...

—¡Pues yo no voto! –dijo rabiosamente mi padre–. Esto no me gusta nada. Es una persecución interesada contra un entrenador...

—Tiene razón. Estáis conchabados para expulsar a Mario –añadió Bernardo–. ¡Yo tampoco votaré!

—¡Ni yo! –gritó su mujer.

—Esto no puede ser –protestó Aurelio–. ¡Hay que votar y tomar una decisión!

—Sí, la de cambiar de presidente –gritó mi padre, muy enfadado.

La verdad es que nunca había visto a papá tan rabioso. Las cosas no estaban saliendo como quería y la ira se había apoderado de él.

—¡Habéis presionado a mi hijo y habéis comprado a los otros chicos! –exclamó–. ¡Esto huele a corrupción!

Mi padre se había vuelto loco. ¿Cómo podía pensar que yo me había vendido a los del bando contrario?

—¡Se cierra la sesión! –gritó Aurelio–. ¡El club ha entrado en crisis!

—¿Crisis? ¡Te voy a dar yo crisis! –gritó mi padre, lanzándose a por él.

Los dos rodaron por el suelo y se armó una trifulca de mucho cuidado. Algunos intentaron separarlos, mientras que otros se peleaban para defender a su líder. De no ser por Lucio, que se puso a dar golpes contra el mostrador con un bate de béisbol, la pelea se habría extendido y se podría haber montado una muy gorda.

—¡Me cago en la leche! ¡Al que se mueva le parto la cabeza! –gritó, blandiendo su porra–. ¡Todo el mundo fuera! ¡Y pagad antes de salir!

Salimos a la calle, en plena noche, con un frío mortal, y cada uno se marchó a su casa, después de proferir algunas amenazas.

Cuando llegué al portal, supe que mamá ya había sacado la basura, pues de una bolsa que estaba encima del contenedor sobresalía una botella de ginebra.

XLVI

Pero lo peor estaba aún por llegar. Esa misma noche, durante la cena, papá se mantuvo en silencio durante un buen rato. Y todos sabíamos lo que significaba. Cuando papá no hablaba es que estaba enfadado, y era mejor no molestarle.

Verónica, que no se había dado cuenta de lo que pasaba, provocó un terremoto:

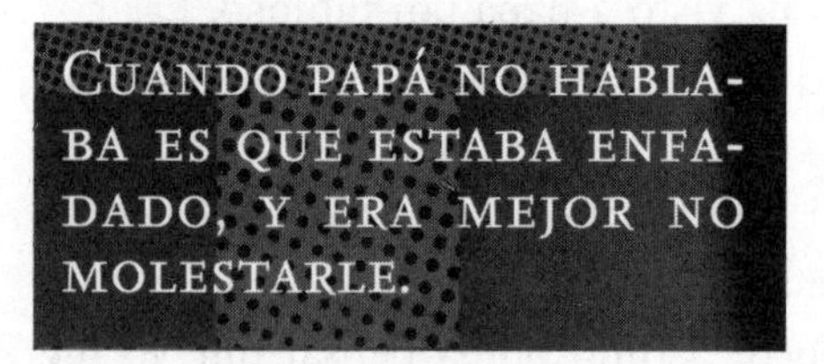

—He decidido denunciar a mi jefe –explicó–. Tengo un abogado experto en esos asuntos y dice que el *mobbing* se está empezando a castigar. ¿Qué opináis?

Mamá y yo no respondimos. Sabíamos que no era el mejor momento para hablar de ese tema, pero Verónica estaba distraída y no cayó en la cuenta.

—Ya estoy harta de soportar el acoso de ese tipo –insistió–. Por eso he seguido el consejo de León y me voy a defender.

Papá levantó la cabeza inmediatamente.

—¿Así que tu hermano te ha aconsejado denunciar a tu jefe? –murmuró, casi masticando las palabras–. ¿Esos son los consejos que te da?

—Menos mal que me ha ayudado a ver las cosas con claridad. De no ser por él, todavía estaría sufriendo esos malos tratos.

—Te recuerdo que ese trabajo te lo busqué yo. Tuve que hablar con personas conocidas para que te abrieran las puertas de esa empresa. Ya me dirás en qué lugar quedo yo ahora, cuando le denuncies. ¿Qué les digo yo a mis amigos?

—Pues, la verdad: que ese hombre es un mal empresario que abusa de su poder. Eso es lo que les tienes que decir.

—¿Y tú crees que, cuando les pida otro favor, me lo harán? –insistió–. La gente no ayuda a los que muerden la mano que les da de comer.

—Pero, papá, Verónica no lo hace por...

—¡Me has traicionado con lo de Mario! –masculló–. ¡Y ahora pones a tu hermana en mi contra!

Aquellas acusaciones me dejaron estupefacto. Ya sabía que iba a recibir algunos reproches por no haberle apoyado en la Junta, pero de ahí a acusarme de traidor...

—¿Qué dices, papá?

—¡Digo que eres un mal hijo! ¡Que te has puesto contra mí y que me has traicionado! ¡Eso es lo que digo!

—Pero, papá, yo tenía que dar mi opinión. No podía mentir...

—Claro, claro... Me he preocupado por vuestro futuro y me lo pagáis así. ¡Maldita sea mi estampa!

Noté que mamá empezaba a temblar. Las cosas se había complicado enormemente, y yo no sabía como resolver esa situación. Lo único que podía hacer era callarme. Estaba seguro de que, si seguía discutiendo, el ambiente iba a empeorar.

—¡Y la próxima vez que quieras que alguien te reconforte cuando pegues a tu novia, te buscas a otro! –exclamó–. ¡Conmigo no cuentes!

"¡Y LA PRÓXIMA VEZ QUE QUIERAS QUE ALGUIEN TE RECONFORTE CUANDO PEGUES A TU NOVIA, TE BUSCAS A OTRO!"

Se levantó, lanzó la servilleta sobre la mesa y dio un tirón al mantel haciendo que platos, vasos y otros objetos cayeran al suelo y se hicieran añicos. Después de demostrar su furia, dio media vuelta y se encerró en su habitación. Su terrible tos acompañó las lágrimas de mamá. Verónica y yo nos miramos, preocupados, pero no dijimos nada.

Como mamá estaba nerviosa, recogí los desperdicios, los metí en una bolsa y bajé a la calle para lanzarla al contenedor. Tuve mucho cuidado de que nadie me viera, ya que a estas horas habría despertado demasiadas sospechas y no habría podido dar explicaciones convincentes sobre esta segunda bolsa de basura.

XLVII

Como siempre, la clase de literatura empezó con la imagen de Salvador sujetando un libro. Una imagen que no me aportó mucho consuelo, porque varios días después de la discusión mi padre no me dirigía la palabra y el ambiente en casa era irrespirable. Ahora todo el mundo sabía que había pegado a Diana.

—Hoy vamos a profundizar en la historia de Dorian Gray –anunció Salvador–; el curioso personaje que carece de moral y que encuentra en otra persona la coartada perfecta para cometer todas sus maldades. Como veréis, es un tema de actualidad: hoy son muchos los que se amparan en las palabras de otros para cometer atrocidades. ¿Quién lo ha leído?

Fuimos pocos en levantar los brazos. Pero Salvador, que era un tipo inteligente, optó por felicitar a los que lo habían leído en vez de reprochar a los que no lo habían hecho.

—Bien, vamos a intentar poner de relieve algunos aspectos de esta historia. ¿Quiere alguien leer alguna frase?

Diana levantó la mano, y Salvador la invitó a subir al estrado.

—Hay un diálogo que me ha llamado mucho la atención –dijo–. Lo voy a leer: *Influir sobre una persona es transmitirle nuestra propia alma. No piensa ya con sus pensamientos naturales ni se consume con sus pasiones naturales... Se convierte en eco de una música ajena en una obra que no fue escrita para ella.*

Salvador la miró con satisfacción, igual que Patricio.

—Si os fijáis, veréis que una característica de los personajes inmorales es decir lo que piensan.

—O sea, que podría existir una policía que detectara a los canallas por lo que dicen –preguntó Vanessa–. ¿O no?

—Esa es una idea peligrosa. No se puede detener ni culpabilizar a nadie por lo que dice, ni por lo que piensa. Pero sí se puede tener precaución con las personas que se jactan de no tener moral –explicó Salvador.

—Eso es un poco contradictorio –dijo Andrés–. Si lo que dice es peligroso, ¿no es una persona sospechosa?

—Cada uno puede decir lo que quiera. Pero cuando hablamos, nos delatamos. Eso es lo que digo. ¿Qué opináis?

Después de un amplio debate sobre el tema, salimos de clase. Diana me dijo que tenía que acompañar a Vanessa a un recado y se marcharon juntas. Yo salí solo, pensando en dar un paseo, pero dos calles más arriba me encontré con Salvador.

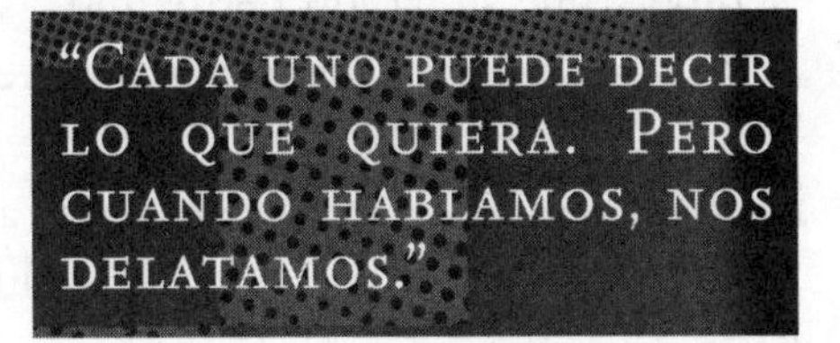

—Hola, profe, ¿qué pasa?

—Pues ya lo ves, alguien me ha pinchado las ruedas del coche.

—Eso es alguno a quien no le habrá gustado la clase de hoy –dije–. ¿Puedo ayudar?

—Me vendría bien –dijo, mientras abría el maletero y sacaba la caja de herramientas.

Después de alcanzarme el gato, y mientras desenroscaba los tornillos, me preguntó, como sin darle importancia:

—¿Por qué no quisiste hacer el papel de Kowalski?

—No me apetece nada mostrarme ante la gente como un tipo que maltrata a las mujeres.

—Haces bien, no es un buen papel. Aunque en este caso solo se trata de un personaje de ficción... ¿Qué te dijo Diana cuando te negaste?

—La verdad es que no hablamos mucho últimamente –contesté–. Creo que se está enamorando de ese capullo de Patricio. Ya ve que está todo el día leyendo frases de los libros para complacerle.

—¿Crees que lee para Patricio?

—Hombre, claro. Le ha dado por la cosa intelectual y quiere parecerse a él... A mí ya no me hace caso.

—Me parece que te equivocas. Ella te quiere a ti. Quiere recuperarte, pero no sabe cómo hacerlo. Se siente impotente, y tú no le facilitas las cosas.

—¿Que no le facilito las cosas? Pero si no hago más que pensar en ella. Hasta sueño con ella, y le he pedido perdón tantas veces que he perdido la cuenta.

—Eso a ella no le interesa. No quiere que te obsesiones, quiere que recuperes tu personalidad. Quiere ver al León que conoció hace tiempo y que se ha ido perdiendo.

—Usted no sabe cómo era yo antes –afirmé.

—Sé mucho más de ti de lo que imaginas. Ten en cuenta que mi trabajo es precisamente conocer a mis alumnos.

—Eso es psicología barata. Los alumnos no somos como los libros, somos personas.

—Las personas son como los libros, y los libros hablan de personas... Anda, te invito a tomar algo, que te lo has ganado –propuso mientras cerraba el coche–. Ojalá no me vuelvan a pinchar la rueda.

—No esté seguro. Si alguien ha decidido hacerle la vida imposible, se la hará.

—Esperemos que solo haya sido una gamberrada sin importancia. Mira, ahí hay una cafetería.

Cruzamos la calle y entramos en un pequeño local. Apenas nos sentamos, Salvador se mostró dispuesto a seguir el debate:

—Diana te quiere, pero te empeñas en...

—Profe, usted se cree muy listo y piensa que soy un idiota. Se está pasando.

—Tienes razón, dejemos esta conversación.

—Vaya, ahora emprendemos la retirada, ¿eh? –solté, con un tono cínico–. Primero avanzamos y luego retrocedemos. Buena estrategia para eludir las situaciones difíciles.

—León, estás desconcertado. No sabes cuál será tu próximo paso porque, cada vez que mueves pieza, tu situación empeora. Eso es lo que pasa.

—Para usted es muy fácil. Ve la vida como si fuese un libro.

—Los libros son como la vida. Son historias inventadas sobre personas que tienen problemas que a veces se resuelven y a veces empeoran –dijo, retomando el tema–. ¿O tú no intentas solucionar tus problemas?

Tuve que tomar un trago para digerir aquella pregunta.

—Pero yo no tengo problemas. Lo tengo todo controlado.

—Tienes problemas y los alimentas. Igual que Dorian Gray. Él sabe que lo que hace no está bien, pero persiste en su actitud. Se empeña en ser un miserable porque se siente más seguro.

—Es un personaje de ficción.

—Tú también eres un personaje de ficción. Haces lo que otros quieren... Y te olvidas de ser tú mismo.

—Ya, el viejo rollo de pensar por ti mismo. Habla usted como los anuncios esos de la tele... Ya sabe, los de la droga: "Di que no... Piensa por ti mismo".

"TÚ TAMBIÉN ERES UN PERSONAJE DE FICCIÓN. HACES LO QUE OTROS QUIEREN... Y TE OLVIDAS DE SER TÚ MISMO."

—Tiene gracia que digas eso. Tú, que usas ideas ajenas.

—¡Las ideas de mi padre son tan buenas como las de cualquier otro! –exclamé, bastante enfurecido.

—No te enfades conmigo. Estás en tu derecho de usar las ideas de tu padre o de quien quieras. Yo no soy quién para hacerte reproches.

—Venga, Salvador, no intente enredarme en sus teorías literarias. Las conozco muy bien.

—Si las conocieras, no hablarías así. Todos tenemos algo de personajes de novela.

Durante unos larguísimos segundos traté de imaginar mi vida como si fuese un libro, y fue una extraña visión que me desconcertó.

—Bueno, Léon, me voy –anunció–. Ya te he dado bastante la paliza por hoy. Decide tú mismo lo que quieras hacer. ¿de acuerdo?

—Profe, me ha soltado un rollo literario, pero no me ha resuelto nada.

—Ya eres mayor para resolver tus problemas por ti mismo. Es cosa tuya, amigo; yo solo doy pistas, es mi trabajo.

Se acercó al camarero y pagó la cuenta. Después, volvió a verme.

—¿Quieres una pista? ¿Para quién crees que lee Diana los textos en clase?

—Ya se lo he dicho: para el capullo de Patricio. Le gusta lucirse ante él...

—Piénsalo bien y verás como estás equivocado.

Cuando le vi salir de la cafetería, sentí una sensación de desconcierto que no me gustó nada. Las pistas de Salvador me solían poner muy nervioso. Diana leía los textos de los libros para demostrar a todos que...

Cogí mi móvil y marqué el número de Diana, pero a la segunda señal se cortó la comunicación y me encontré con su contestador automático. Era la hora de los ensayos. *Diana, ya sé que cuando en clase lees frases de los libros lo haces para mí.* Es *tu forma de decirme las cosas. Gracias.* Y colgué.

Y pensar que imaginaba a Salvador como un payaso, cuando, en realidad, el único payaso era yo.

XLVIII

Benito Flores llegó a casa al anochecer. Mamá le había llamado para que hiciese una revisión a papá, que se encontraba cada día peor. Lo cierto es que no paraba de toser y se empeñaba en no tomar medicinas. Lo había convertido en un asunto personal.

—No he tomado nada, ni falta que me hace –le dijo al doctor cuando este le preguntó qué había hecho para curarse–. Soy fuerte como un toro y no necesito nada. Sé perfectamente lo que tengo que hacer.

—Creo que tengo una mala noticia para ti –dijo el doctor Flores–. Tienes un principio de bronquitis. Y si eres inteligente y sabes lo que te conviene, empezarás a tomar medicinas... O yo no me responsabilizo de tu salud. ¿Me has comprendido?

—¿Es una amenaza? ¿Me estás poniendo a prueba? ¿Quieres asustarme?

—No es una amenaza, no te estoy poniendo a prueba y no quiero asustarte. Te voy a recetar algunos medicamentos y, si no te los tomas, te buscas otro médico.

—Yo no tengo bronquitis ni tengo nada. Estoy fuerte y sano...

—... como un toro. Sí, ya lo sé. Pero si no me haces caso, si no demuestras que tienes interés en ponerte bien, no me vuelvas a llamar –dijo con firmeza–. No me apetece perder el tiempo con alguien que se niega a curarse.

Papá lanzó una mirada de reproche a mamá y le dijo:

—¿Estás contenta? ¿Ves lo que has conseguido? Me has desprestigiado ante el doctor y ante mis hijos...

—No, León, el ridículo lo estás haciendo tú solo –le increpó Benito–. Deberías darle las gracias por preocuparse de ti.

Se apoyó sobre la mesa y escribió algunas palabras en una receta con membrete de su clínica. Después, se la entregó a papá y le dijo:

—Aquí tienes. Te aconsejo que hagas lo posible por curarte enseguida. Luego será tarde y nadie podrá hacer nada por ti. La bronquitis no es fácil de curar. ¿sabes?

—¿Y tengo que tomar todo eso? –se quejó papá–. Esto es una barbaridad.

—La barbaridad es mantener esa postura de cabezonería... En fin, León, tú verás lo que haces. Adiós.

Benito se despidió y salió de casa.

Apenas nos quedamos solos, papá empezó a protestar:

—¡Este tío es tonto si se cree que me voy a tomar todo esto!

Me acerqué y me senté a su lado:

—¿Por qué te empeñas en no curarte?

—¿Qué? ¿Qué dices?

—Digo que no comprendo ese empeño tuyo en mantenerte enfermo sabiendo que vas a empeorar.

—No es ningún empeño. Es que...

—Te estás quedando solo, papá. Un día de estos nadie querrá echarte una mano. Te aferras a ideas antiguas que ya no sirven. Los tiempos en que los enfermos se curaban solos, sin ayuda, ya han pasado.

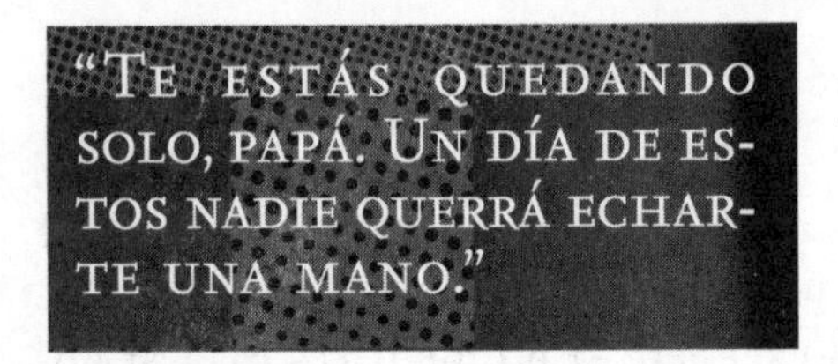

—Eso es lo que tú te crees. Ahora, los jóvenes sois muy blandos. Enseguida os dejáis influir por esas zarandajas que os cuentan sobre lo que es moderno y todo eso. Pero te aseguro que os equivocáis. Y ya verás como me curo sin tener que tomar nada –argumentó, arrugando la receta y arrojándola a la papelera.

Mamá se inclinó para coger el papel, pero me interpuse y dije:

—Deja que lo coja él. Si no quiere comprender que es por su bien, es mejor dejarle tranquilo.

Mamá y yo salimos del salón y nos fuimos a la cocina. Unos minutos después, papá vino con la receta en la mano y le pidió a mamá que hiciera el favor de comprarle las medicinas. Y sin decir nada más, volvió a su habitación.

—Mira que es cabezón –susurró mamá–. Duro como la roca.

XLIX

Era de noche y venía muerto de frío. Pasé delante del bar de Lucio y, a través de la ventana, vi a mi padre, que estaba echando un pulso con Aurelio. Estaban rodeados de gente, y el ambiente era tan animado que los gritos se oían hasta en la calle.

Seguí mi camino. Estaba deseando llegar a casa, pero tuve un impulso irrefrenable, así que di media vuelta y entré en el bar. El local estaba lleno de humo y había mucho ruido, como siempre.

Cuando le vi de cerca, forcejeando acaloradamente con Aurelio, comprendí que su pasión provenía de que creía en sus propias palabras: estaba convencido de que era invencible.

Mientras trataba de aniquilar al contrario, le lanzaba ataques verbales:

—Mario es el mejor entrenador que hemos tenido –afirmó papá, rojo a causa del esfuerzo–. Lo que pasa es que eres un rencoroso y te repatea que lo haya apoyado yo.

—Te niegas a ver la realidad, León. Mario solo quiere destrozar al contrario, y así no se gana –explicó Aurelio, manteniendo la postura–. Y no lo ves.

—Claro que lo veo. Mario tiene razón cuando dice que, al enemigo, ni agua. ¿O quieres que se le trate con flores y besos?

—Quiero que nuestro equipo actúe con inteligencia –insistió Aurelio–. Es la única forma de ganar. Los palos, los empujones, los golpes... no sirven para nada. Un buen entrenador no puede inculcar esas cosas a los jugadores. Además, no me hagas hablar, que no soy idiota.

—¿Qué dices? ¿Insinúas que tengo algo que ocultar? –le increpó papá.

—No me hagas hablar, León, que no somos idiotas y nos hemos dado cuenta de tu jugada.

—¿De qué jugada hablas?

"Quiero que nuestro equipo actúe con inteligencia. Es la única forma de ganar. Los palos, los empujones, los golpes... no sirven para nada."

—Nos tomas por idiotas si piensas que no sabemos lo que pretendías al apoyar a Mario –detalló Aurelio.

Papá se puso hecho una fiera; estaba tan nervioso que la sangre se le subió a la cabeza y la cara se le puso roja de furia.

—¡Eres un canalla por insinuar cosas...! ¡Y un cabrón!

—¡Qué te has creído, hijo de puta!

Mientras hablaban, Aurelio, que era más frío y calculador, había ido ganando terreno. A pesar de que papá se resistía como una fiera acorralada, tuvo que dar su brazo a torcer y rendirse para evitar que le partiera la muñeca.

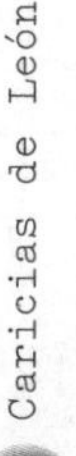

—Joder, León, mira que eres bruto –comentó Aurelio, frotándose el brazo–. Soy más fuerte que tú y siempre te ganaré. Déjalo ya, que me aburre enfrentarme contigo.

—Y ahora, si tienes pelotas, explícame eso que has dicho antes –escupió papá, dispuesto a seguir con la pelea.

Me acerqué y me interpuse, con la intención de detener la discusión, que tenía pinta de terminar mal.

—Mira, aquí está mi hijo, el amigo de los enemigos de su padre –dijo–. Venga, León, hijo, dile a Aurelio que ha hecho bien en cargarse a Mario... Anda, díselo...

—Papá, me gustaría hablar contigo –le pedí–. Podemos sentarnos en una mesa.

—Tienes suerte, Aurelio. Mi hijo quiere hablar con su padre, de hombre a hombre. Ya seguiremos discutiendo ese asunto...

Durante unos segundos me pregunté si había elegido el mejor momento; estaba verdaderamente exaltado. Yo sabía que uno de sus problemas era que, cuando la ira le dominaba, era incapaz de razonar y no se podía hablar con él. Lo sabía desde hace años.

—A ver, hijo, ¿qué quieres? No me irás a decir que te arrepientes de haberte puesto contra mí. No sé si es por culpa de esa chica, Diana, o a causa de tanta literatura, pero estás cambiando mucho. Te estás ablandando como unas natillas.

—Bueno, puede que sea un poco por todo –respondí–. Ya sabes lo que pasa cuando uno crece, que las ideas cambian.

—Sí, y eso es lo malo, que sin darse cuenta uno va dejando atrás las buenas ideas y se convierte en una especie de... O sea, que se deja influir por los demás.

—Bueno, al fin y al cabo, yo me he dejado influir por ti durante muchos años, ¿no?

En ese momento, Lucio se acercó a la mesa:

—¿Qué os pongo?

—Un brandy y...

—Un café con leche para mí.

Lucio se retiró y volvimos a la conversación.

—Yo no te he influido, te he enseñado, que es muy diferente. La obligación de un padre es enseñar a su hijo.

—¿Y a su hija?

—A Verónica ya le enseña tu madre. Y ya ves en qué plan está. No hay quien la tosa. Pero ese es otro tema... A ver, ¿qué querías decirme?

—Tengo muchas cosas que decirte, pero hoy voy a explicarte algunas...

—¿Es por lo de Mario? Bueno, no te preocupes, que tu padre se saldrá con la suya. Le estoy preparando una encerrona a Aurelio que se va a enterar...

—Papá, no quiero que te ocupes más de mis asuntos. Te ruego que dejes de intervenir en mis cosas y en mi vida. Necesito hacer las cosas a mi manera.

Lucio, que se acercó en ese momento y me oyó, no pudo evitar hacer un comentario:

—¡La leche con el chico!

—Oye, tú, dedícate a lo tuyo, que esto es una reunión privada. Familiar y privada –le advirtió papá, señalando la barra–. ¡A tu sitio ahora mismo, y no te vuelvas a acercar por aquí!

"PAPÁ, NO QUIERO QUE TE OCUPES MÁS DE MIS ASUNTOS. TE RUEGO QUE DEJES DE INTERVENIR EN MIS COSAS Y EN MI VIDA. NECESITO HACER LAS COSAS A MI MANERA."

Mientras Lucio se alejaba a toda velocidad, papá dio un trago de brandy y dejó la copa sobre la mesa.

—A ver, repíteme eso que has dicho, que no me ha gustado nada.

—He dicho que no quiero que te metas en mi carrera deportiva. No quiero ser futbolista profesional... Todavía no.

—Supongo que será una broma.

—No es ninguna broma. Lo digo en serio.

Cogió de nuevo la copa y le dio otro tiento.

—¿Y ahora qué hago yo? Con todas las ilusiones que había puesto en ti, en tu futuro, en tu éxito... Mario y yo tenemos un contacto...

—Papá, ahora me voy a dedicar a estudiar.

—No me digas que también te vas a dedicar al teatro, igual que Diana. Estaría bueno que ahora te convirtieras en actor, como ese mojigato de Patricio, ese debilucho.

—Patricio no es ni un mojigato ni un debilucho. Patricio es alguien que sabe lo que quiere. Y me gustaría que tratases a mis amigos con más respeto.

—Vaya, pues sí que te ha dado fuerte con el mariposita. Oye, no te habrás enamorado de él, ¿verdad? –dijo antes de tomar otro trago–. Joder, esto se ha acabado. ¡Lucio, otra copa!

—Papá, creo que deberías dejar de beber –sugerí–. Podemos seguir esta conversación en otro momento.

—Ni hablar. Cuando un hombre empieza a hablar, tiene que tener el valor de llegar hasta el final.

Me quedé un rato en silencio, pensando en si debía seguir adelante o dejarlo para otro momento.

—A lo mejor te apetece echarme un pulso. ¿Es eso? ¿Has venido a eso?

—Papá, no tengo intención de discutir...

—Eso no es discutir. Eso es poner tus fuerzas a prueba. Venga, –dijo, poniendo el brazo sobre la mesa–. Venga, valiente, demuestra que puedes a tu padre.

Comprendí que había llegado el momento de enfrentarme a la situación. Si quería que mis palabras tuvieran algún valor, no podía rechazar el desafío. Me arremangué la camisa y me senté frente a él. Nuestras manos se aprisionaron y los músculos se tensaron.

—A ver, ¿qué más querías decirme? –preguntó, con la cara enrojecida por el esfuerzo.

—Que quiero hacer las cosas a mi manera. Voy a ser un buen futbolista. Eso es lo que voy a hacer. Quiero ser un gran profesional, y Kevin me va a ayudar. Por eso quiero que votes a su favor, para que vuelva a ser nuestro entrenador.

—¿Kevin? Pero, ¿qué dices?

—Papá, Kevin va a ser mi entrenador. Ya lo he decidido. He hablado con él y va a volver.

La tensión era máxima. Ninguno ganaba terreno, pero advertí

que se estaba cansando. Lo noté cuando avancé unos milímetros hacia su posición.

—O sea... que quieres que me baje los pantalones –dijo, después de resoplar.

—No, papá, quiero que dejes de mirar hacia atrás. Quiero hacer las cosas a mi manera.

—Lo que me pides es muy fuerte. Un hombre no puede cambiar de bando de esta manera. Votar a Kevin es una humillación para mí.

—Deja de hablar así –dije–. No quiero que te humilles, solo quiero que rectifiques. Sabes que rectificar es de...

—Sí, ya lo sé, rectificar es de sabios.

"Lo que me pides es muy fuerte. Un hombre no puede cambiar de bando de esta manera."

—Exactamente. Todo el mundo estará encantado de escuchar tus disculpas. Reconoce que te has equivocado. Verás como no pasa nada.

—Perderé mi prestigio. En este barrio mi palabra vale mucho, ¿sabes?

—Ganarás prestigio, y tu palabra valdrá más. Te irá mejor.

—¿Acaso crees que Kevin me perdonará? Ese tío no me traga...

—Pero a mí sí. Y se trata de mi carrera, no de la tuya.

Entonces ocurrió lo inesperado: nuestras manos se estrellaron sobre la mesa, haciendo un ruido estrepitoso. ¡Le había vencido!

Papá se quedó pálido, sin saber qué decir. De repente, me pareció que acababa de envejecer diez años.

—Papá, vámonos a casa. Esto se ha acabado.

Pero no me hizo caso. Cogió la copa que Lucio acababa de dejar y volvió a tomar un nuevo trago.

—¡Termina lo que has empezado! –rugió mientras se frotaba al muñeca–. Estoy seguro de que quieres decirme alguna cosa más.

—Sí, me gustaría que tratases a Verónica y a mamá con más respeto –dije.

Se quedó mudo y pálido, incapaz de reaccionar.

—¿A qué te refieres?

—Me refiero a que se acabó eso de dejarlas en ridículo cada dos por tres. Se acabó eso de restregarle por las narices a Verónica que le has encontrado un empleo, se acabó esa superioridad que demuestras ante ellas todos los días y a todas horas. Y no vuelvas a maltratar a mamá.

—¿De dónde sacas esas ideas? Yo respeto mucho a tu madre...

—Y se acabó ser tu cómplice. A partir de ahora, estoy en su bando y las defenderé.

Me miró como si no me conociera.

—No te reconozco. Hablas como si no fueses mi hijo.

—Hablo así precisamente porque lo soy. Si me hubieses enseñado a hacer las cosas correctamente, no tendría que hablarte de esta forma.

Se llevó la copa a los labios, dispuesto a terminar con ella, y yo me levanté con la intención de marcharme.

—Ah, y mi profesor de literatura no es ningún payaso. Me está enseñando cosas que tú desconoces. Me está enseñando a ser respetuoso con los demás. Ese hombre no es un payaso, así que no vuelvas a meterte con él.

Salí del local bajo la mirada de casi todos los clientes que, de una forma u otra, habían intuido que, en la mesa del fondo, un hijo acababa de cantarle las cuarenta a su padre.

Y esa noche dormí profundamente. Creo que recuperé las horas de insomnio que había acumulado durante los últimos tiempos. La conversación con papá me reconfortó y me otorgó una confianza en mí mismo que creía haber perdido.

L

Salí a dar un paseo con Ángel para que me pusiera al día sobre las andanzas de Diana y Patricio, de los que últimamente sabía poco. Primero fuimos a jugar unas partidas de futbolín, pero en esta ocasión tuve el detalle de dejarme ganar, para que cogiera confianza en sí mismo, cosa que me vino muy bien: eso le soltó la lengua y pude enterarme de algunas cosas que estaba deseando saber.

—León, tío, te has equivocado con Patricio y con Diana. Te aseguro que no hay nada de lo que piensas. Son buenos amigos y se entienden bien, eso es todo –explicó mientras nos tomábamos una *Coca Cola* para celebrar su éxito.

—Cualquiera lo diría. Son uña y carne, están todo el día juntos y parecen casi un matrimonio de verdad.

—Son amigos y no hay nada más, te lo aseguro.

—¿Y cómo lo sabes?

—Pues... igual que sé que tú y yo somos amigos y entre nosotros no hay nada más.

—Oye, no me vengas con chorradas.

—Estamos todo el día juntos, nos abrazamos, jugamos al futbolín y cualquiera podría decir que estamos liados, ¿no?

—Pero es diferente. Entre un chico y una chica siempre queda sitio para el rollito; entre nosotros no. Yo no tendría nunca un lío con otro tío.

—Son amigos. Y un hombre y una mujer pueden ser amigos.

—Pueden ser amigos hasta que dejan de serlo –insistí–. Te lo digo yo.

Salimos a la calle y seguimos discutiendo el tema hasta que me aburrí. Estaba claro que no iba a convencer al inocente de Ángel de que las cosas no eran como él pensaba. Sin embargo, reconozco que sus palabras me tranquilizaron, aunque, naturalmente, no se lo dije.

—A Patricio no le interesan las chicas –explicó mientras esperábamos que un semáforo cambiara de color–. Ni Diana, ni Vanessa, ni ninguna otra. Hemos visto fantasmas donde no los hay.

—Entonces, qué, ¿le gustan los chicos?

—Es un poeta. Le interesa la literatura, el teatro, el cine... ya sabes, esas cosas de las que nos habla Salvador.

—Oye, ¿no estarás insinuando que tiene un lío con el profe?

—Jo, León, de verdad, lo tuyo es enfermizo. Patricio no tiene ningún lío con nadie. Yo creo que no se le ha despertado la sexualidad todavía.

—Ángel, eres más tonto de lo que pensaba –dije, deseoso de creer en sus palabras–. Me has defraudado. Pensando así, es lógico que Vanessa no quiera saber nada contigo.

—Pues, verás, resulta que... he quedado con ella. Me llamó anoche a mi casa para invitarme al cine.

Me quedé sin palabras. Si hay algo que jamás hubiera pensado que podría suceder era precisamente que Vanessa demostrara algún interés por este pobrecito de Ángel.

—Y he hecho algo más –dijo repentinamente–. He quedado con ellas.

—¿Con quién?

—Con Vanessa y con Diana. Nos están esperando. Vamos a ir al cine juntos, los cuatro, como en los buenos tiempos.

Otra sorpresa. Resulta que Ángel no era tan tonto como parecía.

—Eres un pájaro de mucho cuidado –dije, dándole un abrazo de los míos, tan fuerte que casi le dejó sin respiración.

—Eres más bruto que *La Masa* –afirmó–. Deberías aprender a controlar tus fuerzas o te quedarás sin amigos.

Vanessa y Diana estaban en la puerta del cine, tomando un refresco, al lado de una máquina automática. Cuando nos vieron, Vanessa levantó la mano y nos saludó, pero Diana permaneció fría e impasible.

—¿Tú crees que ha sido buena idea quedar? –le pregunté.

—Tú procura no abrazarla como has hecho conmigo y todo irá bien –respondió, adelantándose para saludar a Vanessa.

—¿Qué vamos a ver? –pregunté.

—¿Una de amor? –sugirió Vanessa.

—¿O prefieres esa de kung-fu? –añadió Diana.

—Veré la que queráis –acepté–. Solo soy un invitado, así que aceptaré vuestras condiciones.

—Hoy invito yo –dijo mi compañero–. Pero que no sirva de precedente.

Se acercó a la taquilla y volvió con cuatro entradas.

—Ya está, vamos a ver una de miedo: Doctor Jeckyll y Mister Hyde. Una nueva versión del tipo ese que se tomaba una poción y se convertía en un asesino.

—¿No hay otra cosa más bonita? –preguntó Vanessa.

—Es real como la vida misma –respondió Ángel–. Venga, marchando, que está a punto de empezar.

Nos aprovisionamos de bebidas y palomitas y entramos en la sala, que estaba llena. Llevaba tiempo sin ver una película de miedo, y me lo pasé muy bien. Además, aprendí que dentro de cada persona hay una bestia que puede salir en cualquier momento, sobre todo si se le ayuda con la bebida adecuada. La historia me recordó algunos de los libros que habíamos comentado con Salvador... Por lo visto, es un tema más común de lo que me imaginaba.

Logré hacer algunos progresos con Diana. Aunque no me atrevo a calificarlos de espectaculares, fueron suficientes para organizar una cita para el día siguiente, a solas, lo cual suponía un verdadero avance, teniendo en cuenta mi situación.

LI

Entré en casa y me encontré con papá, que estaba en el salón viendo *Un, dos, tres, responda otra vez*, un concurso de televisión con el que disfrutaba mucho cuando la gente se equivocaba en las respuestas y, a veces, salía con las manos casi vacías. Era uno de sus programas favoritos.

Desde la conversación en el bar, nuestra relación se había vuelto tensa. Nos saludábamos, pero había una distancia entre nosotros bastante notable.

—Hola, papá.

—Hola.

Mamá entró en el salón acompañada de Verónica e hizo un anuncio:

—Verónica tiene algo que decirnos.

—¿Está embarazada? –dijo papá, con la mirada puesta en la pantalla.

Mamá, ni corta ni perezosa, le arrancó el mando a distancia de las manos y apagó el aparato.

—Haz el favor de escuchar a tu hija.

—Esto no se puede aguantar...

—Me marcho de esta casa y me voy a vivir con una amiga –afirmó Verónica, interrumpiéndole.

Papá se quedó boquiabierto. Esta era la última noticia que habría esperado oír de los labios de su hija. Estaba perplejo, pero pude ver cómo lanzó una mirada amenazadora a mamá, a la que consideró la principal cómplice de Verónica.

—¿Apoyas su decisión? –preguntó papá–. ¿Te parece bien que tu hija se vaya de casa?

—Ya es mayor para hacer lo que quiera –respondió mamá, en un tono que me dejó helado–. Soy su madre, pero no soy su dueña. Los hijos son libres de hacer lo que quieran.

Las comisuras de sus labios se arrugaron, demostrando claramente que aquella respuesta le había herido profundamente. Después, ignorando a mamá, dirigió su mirada hacia Verónica.

—¿Y de qué vas a vivir si no tienes trabajo? –preguntó en un tono despectivo, que no dejaba lugar a dudas sobre el desprecio que sentía sobre aquella decisión de independizarse.

—Ya me las apañaré como pueda –respondió Verónica–. Y no te preocupes, que no te pediré dinero.

—¿Es que no estás bien en esta casa? ¿No quieres a tu familia?

—Claro que os quiero. Pero ha llegado el momento de iniciar un nuevo camino. Ya soy mayor de edad.

—¿Te vas a vivir con un hombre, verdad?

Verónica se mordió los labios antes de responder.

—Papá, eres de lo que no hay. Tienes unas ideas que te están machacando... Tus ideas prehistóricas te están...

—¡Te equivocas, soy un hombre moderno, un hombre de mi época!

—No, intentas parecer un hombre moderno, pero eres más antiguo que los dinosaurios. Tratas de camuflar tus verdaderos pensamientos haciéndote pasar por un hombre liberal, pero no puedes evitar que se te escapen esas viejas ideas que tienes sobre las mujeres y sobre la autoridad. Se te salen por las costuras.

—¡A mí no me hables así, que soy tu padre!

—¡Haz el favor de no gritar! –protestó mamá.

—¡Estáis todos contra mí! –exclamó papá, interrumpiéndola, lleno de rabia.

Mamá, que tenía lágrimas en los ojos, dijo:

—Nadie está contra ti. Lo que ocurre es que te has negado a aceptar que tu familia es lo más importante de este mundo y no has parado de hacernos la vida imposible a todos. Y ahora te vas a quedar solo, con tus ideas anticuadas, pasadas de moda.

—Te has negado sistemáticamente a escucharnos y has querido imponer tu forma de ver la vida –dije–. Te has equivocado, papá. Estás obcecado.

—¡Yo nunca he querido perjudicaros! –exclamó–. Solo quiero lo mejor para vosotros.

—No, tú sólo has querido lo mejor para ti. Te has aferrado a esas ideas machistas que te convierten en el rey de la casa y has tratado de inculcármelas. Ese es el verdadero problema, papá.

—¿Ideas anticuadas? ¿Ideas machistas? ¿Qué tienes tú contra las ideas que te he enseñado?

—Son nefastas. No puedo compartir contigo esa idea de que media humanidad es superior a la otra media. Un sexo no es superior al otro. Lo peor es que lo sabes, pero tratas de ignorarlo, de camuflarlo... Y lo disimulas porque te conviene.

—Tus amigos me han hecho la vida imposible en el trabajo y lo has consentido –le reprochó Verónica–. Soy tu hija, y no has hecho nada para protegerme. Están abusando de mí, aunque sean amigos tuyos.

—Y yo soy tu mujer, y me has ido rompiendo a pedazos solo porque has querido imponerme tu autoridad.

—¡He querido mantener nuestro matrimonio intacto! –rugió.

—Sí, partiéndome los huesos. Extraña forma de demostrarme que querías mantener una familia conmigo. Una familia que no es tuya, una familia que nos pertenece a todos.

—¡Mi padre me enseñó lo que sé! ¡Eso es la tradición! ¡Un hombre debe luchar por mantener a su familia unida y debe estar dispuesto a hacer lo que sea para que no se desmiembre.

Me senté a su lado y le dije:

—Papá, lo que tu padre te enseñó es tan malo como lo que me has enseñado a mí. Pegar a tu mujer y reprimir a tus hijos no es tradición: es un abuso. ¿Te habría gustado que la tradición consistiera en que los hombres no tuvieran derecho a hablar, a votar o a defenderse? ¿Te habría gustado que permitiese a tu mujer y a tus hijos pegarte una paliza cada vez que dijeses algo que no les gusta? ¿Crees que una tradición que autoriza a un hombre a pegar o a matar a su mujer es una buena tradición?

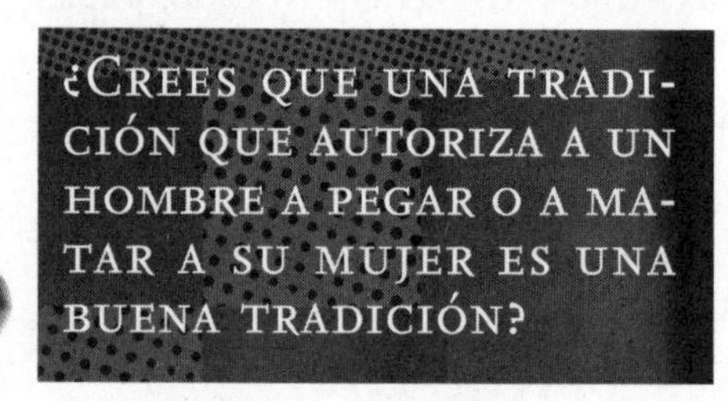

—Un hombre debe mantener a su familia unida y en orden –insistió–. Eso es lo único que sé.

—¿Usando la violencia? –preguntó mamá.

—Usando lo que sea. Lo importante es... Lo más importante es... Lo que importa es...

Papá se quedó sin palabras. Dejó el periódico sobre el sofá y se marchó a su habitación. Mamá, Verónica y yo nos quedamos en el salón y encendimos la televisión. Una pareja de concursantes perdía un premio importante, y el público se reía a carcajadas. Pero, en casa, había un silencio sepulcral.

LII

Por fin llegó la noche del estreno de la obra de teatro. Después de tantos meses de preparación y ensayos, había llegado el momento de demostrar a todo el mundo lo que los de mi clase éramos capaces de hacer. Decidí ir a los camerinos para ayudarlos y animarlos.

—Dentro de unos minutos estaréis ante un público que os va a juzgar por lo que haréis –dijo Patricio–. Así que portaos como profesionales. ¿De acuerdo?

—No sé si seré capaz de hacerlo bien –advirtió Ángel–. Mi memoria empieza a fallar.

—No digas cosas raras. Sabes perfectamente lo que tienes que hacer. Lo has memorizado y conoces el contenido de la obra. No puedes tener dudas –insistió Patricio–. Procura no salirte del guión.

—¿Ha venido mucha gente? –preguntó.

—¡Lleno total! ¡Todo el mundo ha venido a vernos! –les informé–. También están nuestros padres.

Me acerqué a Diana y la ayudé a sujetar el espejo que usaba para maquillarse.

—Estás guapísima –susurré–. Ahora lamento no haberme atrevido a trabajar en esta obra. Me habría gustado salir contigo al escenario.

—Sí, es una pena que hayas perdido esta oportunidad –respondió.

—He pensado mucho en esa idea tuya de ser actriz, y me parece bien. Te apoyaré.

—León, me gusta que digas eso, pero...

—¿Crees que alguna vez seremos novios? ¿Tengo alguna oportunidad?

—Eso lo iremos viendo sobre la marcha. Si me quieres, me lo demostrarás. Y yo lo notaré; puedes estar seguro.

—¡A escena! –exclamó Patricio–. ¡Ha llegado el momento!

Diana se puso en pie y, para sorpresa mía, me dio un ligero apretón de manos.

—Ya hablaremos –dijo–. Ahora tengo que salir.

Me quedé a ver la obra entre bastidores. No sé cómo ocurrió, pero, de repente, me di cuenta de que estaba orgulloso de Diana y me sentí contento de ser amigo de Patricio y de los demás. Me dio pena no estar con ellos en el escenario, formando parte de la representación.

Durante toda la obra estuve repasando los acontecimientos de los últimos tiempos y, tal y como me había dicho Salvador, comprendí que somos como personajes de libros. Algunos estamos manejados por otras personas, que se convierten en guionistas de nuestras vidas. Igual que le ocurrió a Dorian Gray, que seguía los dictados de aquel amigo suyo tan nefasto, que influía de manera decisiva sobre él.

Era un personaje que se parecía también al que ahora estaba representando Patricio: el de un hombre que no usa el cerebro, que solo maneja los puños y que no comprende a las personas que le rodean. Indudablemente, durante años fui una persona que se dejó influir por su padre, por un hombre que también se había dejado manejar por el suyo.

La obra estuvo bien representada; prácticamente mis amigos no cometieron ningún error. Y los pocos que hubo casi no se notaron. Los actores estuvieron tan naturales que el público, que suele ser generoso, no dio importancia a los fallos. Los errores de los jóvenes actores se suelen perdonar.

LIII

Salvador entró en clase más contento que de costumbre. No estábamos acostumbrados a verle sonreír, y nos llamó la atención.

Pero más sorprendentes aún fueron sus palabras:

—El éxito de la obra ha sido total. Una asociación cultural a la que invité quiere que se represente en un teatro semiprofesional. ¿Qué os parece?

Patricio se levantó y, loco de alegría, dijo:

—¿Es verdad? ¿Es cierto que vamos a actuar en un teatro?

—Pues claro. Tenéis que poneros en contacto con ellos... Aquí está el número de teléfono del presidente –comentó, extendiendo una tarjeta.

Patricio la cogió, se acercó a Diana y le dio un abrazo. A mí se me revolvieron las tripas en cuanto se tocaron. Estuve a punto de levantarme e interponerme, pero Ángel, mi amigo Ángel, me agarró del brazo y exclamó:

—¿A que es una buena noticia? ¿A que estás contento?

Mi primera reacción habría sido darle un sopapo en plena boca para cerrársela, pero, de repente, me invadió una ola de serenidad, cosa que no me había ocurrido nunca antes. Entonces, me fijé en el rostro de Ángel y comprendí lo que estaba haciendo. En ese momento me di cuenta de que no era tan idiota como había imaginado. Supe que Ángel era más listo que yo, sobre todo cuando Vanessa se acercó y le dio un beso, en la mejilla. Un beso que me dio una tremenda envidia.

—Os felicito –dije–. Estoy muy contento.

Diana, que a pesar de seguir abrazada a Patricio había escuchado mis palabras, me cogió de la mano.

—¿De verdad te parece bien? –preguntó.

—Claro que sí. Sois un buen grupo de actores y os merecéis todo lo mejor. Os ayudaré en lo que pueda.

Entonces me dio un beso en los labios. Los demás empezaron a reír y a aplaudir, y yo me sentí muy cortado.

—Conteneos, chicos, que estamos en clase –intervino Salvador–. No venimos aquí a achucharnos, venimos a aprender.

Pero yo me sentí muy feliz. Por primera vez en mi vida había dado mi brazo a torcer y estaba contento.

—Patricio, eres un gran artista –dije, dándole la mano–. Enhorabuena, has hecho un gran trabajo.

La respuesta de Patricio me pasó casi desapercibida, porque me enredé en la mirada de Diana. Un mirada que fue una verdadera revelación. En sus ojos pude leer un mensaje de cariño como jamás había visto desde que la conocía. Parecía una nueva Diana, aunque la verdad es que el nuevo era yo.

—Me alegro de que te parezca bien –dijo Diana–. Me haces muy feliz.

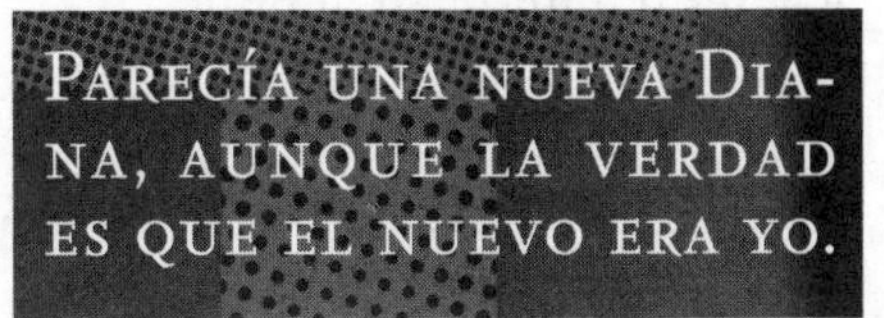

Lo que sucedió a continuación fue un cúmulo de experiencias difíciles de explicar. No es que nos besásemos todos y nos abrazáramos, no; lo que sucedió es que nos sentimos muy unidos. Ya sé que es difícil que una persona como yo, habituada a valorar la fortaleza, diga estas cosas, pero es verdad. Joder, es verdad. Si hasta se me humedecieron los ojos, leche.

Hubo una cosa que destacó sobre todas las demás, y que creo que no la olvidaré mientras viva: la mirada comprensiva de Salvador. Durante un momento creí ver en él la cara de mi padre, pero debió de ser una paranoia producida por la emoción del momento. Mi padre y Salvador no se parecen en nada... aunque me gustaría que no fuese así. Lo que daría por que mi padre me hubiera enseñado las cosas que Salvador me ha hecho ver. Lo que daría...

LIV

El último encuentro de fútbol de la temporada fue terrible, pero ganamos.

Nos habían avisado de que eran duros y brutos como marines, pero sus malas artes no les sirvieron de nada. Nuestra técnica pudo más y ganamos por dos a cero. Y pudimos meter más goles, pero Kevin se empeñó en no humillarlos. Sin embargo, nadie pudo impedir que nuestro buen juego les hiciera entender que éramos mejores que ellos. Estoy seguro de que el Malpozo nunca se repuso de su derrota y de que sus jugadores nunca olvidarán nuestra exquisita técnica.

En ese partido aprendí a ganar con elegancia y a no humillar al contrario. Kevin me había enseñado a comportarme correctamente, y resulté un buen alumno.

—Habéis estado soberbios y estoy orgulloso de vosotros –dijo cuando llegamos a los vestuarios, al final del partido.

—¡Por fin hemos ganado! –dijo Manolo–. ¡Por fin lo hemos conseguido!

—Lo que de verdad habéis conseguido es ser buenos jugadores –dijo Kevin–. Por eso habéis ganado. Ahora ya sabéis que ser un buen jugador no es ser el más bruto.

—Venga, no seas modesto –comentó Montes–. El mérito es tuyo. Con Mario jamás habríamos ganado. Esos tíos son más brutos que nosotros; por la fuerza no hubiéramos ganado.

—Solo con la fuerza no se consigue nada. Habéis usado la inteligencia, y la técnica os ha servido. A eso me refería.

—Pero la técnica nos la has enseñado tú –dije.

—Hemos ganado gracias a ti y a lo que nos has inculcado –añadió Andrés.

"SOLO CON LA FUERZA NO SE CONSIGUE NADA. HABÉIS USADO LA INTELIGENCIA, Y LA TÉCNICA OS HA SERVIDO."

—Bueno, vale, yo os he enseñado. Pero lo he podido hacer porque vosotros habéis querido aprender. Y tenéis que entenderlo así. Yo he puesto la semilla, pero vosotros habéis puesto el resto. Y ya está bien de rollos. Terminad de ducharos, que esto hay que celebrarlo.

—Efectivamente –anunció Aurelio–. La directiva del club hace una fiesta en el bar de Lucio y os invita a todos a tomar una *Coca Cola*.

—¿Solo *Coca Cola*? –preguntó Montes.

—*Coca Cola* para los jóvenes y cerveza para los adultos –dijo–. Y vosotros todavía sois unos chavales... Aunque hoy os habéis comportado como profesionales.

Aquella fue la ducha más larga de mi vida. Tuve la sensación de que el agua se llevaba consigo los malos rollos de los últimos meses. Me sentí renacer de nuevo. Ahora estaba seguro de que iba a ser un buen futbolista y de que nada ni nadie torcería mi camino. Solo era cuestión de tiempo.

LV

El bar de Lucio se llenó; todo el mundo quería celebrar el triunfo de nuestro equipo y sentirse parte del éxito. Fue como una euforia colectiva que afectó incluso a los que estuvieron en contra de volver a contratar a Kevin.

—Tengo que reconocer que estaba equivocado –dijo mi padre, dándole un potente apretón de manos–. Estoy satisfecho de verte por aquí.

—Gracias, León, me alegra saber que no me guardas rencor –dijo Kevin.

—¿Rencor? ¿Cómo voy a guardar rencor contra alguien que ha hecho ganar a mi hijo y a mi equipo? Vamos, hombre, ¿bromeas?

Kevin no conocía bastante a mi padre; por eso dijo aquella frase tan extraña sobre el rencor. No sabía que, si le haces ganar, te lo perdona todo. Creo que fue aquella noche cuando me di cuenta de que se había educado en un ambiente muy duro y machista, y lo que se aprende de joven es difícil de corregir.

—¡Una cerveza para el chico! –pidió papá–. Que ya se ha convertido en un hombre.

Nunca lograré entender por qué la gente asocia lo de ser hombre con las bebidas alcohólicas.

—Toma, te lo mereces –dijo Lucio, poniéndome una jarra en las manos.

—Pero no te habitúes –avisó papá–. Que los deportistas no deben beber demasiado. Piensa en tu futuro... Ya sabes a qué me refiero.

De repente, me acordé de que llevaba un buen rato sin ver a Diana. La busqué con la mirada y la descubrí en un rincón, asediada por Mario, que había venido a la fiesta.

—¿Así que esta chica tan guapa es tu novia, eh? –dijo, apenas me acerqué.

—Esta chica tan guapa se llama Diana, y es una compañera de clase y una buena amiga –expliqué–. Lo demás ya se verá.

—Sí, ya sé que soy una chica guapa, y aún no sé si León y yo somos novios –añadió Diana–. Pero te agradecería que te apartaras un poco de mí, que me estás atosigando.

Mario puso cara de circunstancias y dio un paso hacia atrás.

—Bueno, yo me voy por ahí –dijo–. Que os vaya bien.

Nos dejó solos, y yo le pedí a Diana que saliera conmigo a la calle.

—¿Es que no me puedes decir aquí lo que quieres?

—Sí puedo, pero tendría que gritar demasiado –dije.

—Está bien, salgamos.

En la calle hacía un frío que contrastaba con el calor del bar. En la oscuridad de la noche, y entre las ramas desnudas de los árboles, pude ver claramente cómo la luz del salón de nuestra casa estaba encendida, y me acordé de mamá. Seguramente estaría sola, en el salón, viendo algún estúpido programa en la televisión. Desde que Verónica se había marchado de casa, lloraba sin cesar y se había encerrado más en sí misma. Sin embargo, saber que mi hermana era feliz en su nuevo trabajo la consolaba bastante.

—Diana, tengo que pedirte perdón por todo lo que te he hecho sufrir –dije, con un ojo puesto en la ventana de mi casa–. He sido un idiota que no ha comprendido nada de lo que ha pasado. Durante un montón de tiempo me he creído que eras mía, que me pertenecías, y reconozco que estaba equivocado.

—Muchos chicos se creen propietarios de las chicas a las que quieren. Las quieren para ellos igual que quieren a sus juguetes.

DURANTE UN MONTÓN DE TIEMPO ME HE CREÍDO QUE ERAS MÍA, QUE ME PERTENECÍAS, Y RECONOZCO QUE ESTABA EQUIVOCADO.

—Supongo que nunca podrás perdonarme, pero puedo asegurarte que contigo he aprendido una buena lección. He sufrido mucho, pero creo que ha valido la pena. Mis viejas ideas se han quedado por el camino, y espero que nunca vuelvan a aparecer.

—León, has dado un paso de gigante. Sinceramente, creo que ahora me empiezas a interesar. No sé, a lo mejor podríamos intentarlo…

—¿Te atreverías? ¿Me darías una nueva oportunidad?

—Claro que sí… No tengo miedo. Si te pasas de la raya, me defenderé.

—Bueno, oye, no empecemos a poner trabas…

—No son trabas, es una advertencia. Si te atreves a hacerme daño, a gobernarme, a dirigirme o a decirme lo que tengo que hacer... que Dios te pille confesado.

Entonces, me di cuenta de que me estaba dando la oportunidad de acercarme, y decidí responder a su invitación. Di un paso adelante y sentí su aliento en mi rostro. Nuestros cuerpos se acercaron, y la palma de mi mano rozó delicadamente su mejilla. Cerró los ojos y apretó mi mano. Nuestros labios se rozaron y dijo algo que me estremeció de alegría:

—Ves, León, como sí sabes acariciar.

Fue el mejor beso de mi vida. En realidad, creo que fue el primero. El primer beso que supe saborear. Un beso que fue como una caricia.

Me acerqué de nuevo y, mientras nos besábamos, recordé un cuento que mi padre solía contarme cuando era pequeño, con voz dulce, para que me durmiera tranquilo:

Hace mucho tiempo, en un país muy lejano, nació un chico que mientras crecía, a veces, se convertía en una fiera. La transformación se fue haciendo cada vez más frecuente hasta que el muchacho se vio incapaz de controlar aquella metamorfosis progresiva y empezó a preocuparse.

—Papá, ¿alguna vez seré capaz de evitar eso que me pasa? –le dijo un día a su padre, que era el rey de las tierras pantanosas–. ¿Qué tengo que hacer para que no me vuelva a ocurrir nunca?

—No debes preocuparte, hijo –le respondió su padre, dándole un golpe en la espalda–. Lo que te ocurre es normal, le sucede a muchos chicos. Es cosa de la naturaleza humana. Te acabará gustando. Te estás endureciendo y reinarás en mi lugar.

Pero, a pesar de las tranquilizadoras palabras de su padre, el niño sabía que aquella mutación no era lógica y en su interior presentía que nunca le gustaría. Sin embargo, el tiempo pasaba, el chico crecía y cada vez que se convertía en una fiera sentía más ganas de atacar, de hacer daño, de enfrentarse con los demás y de dominarlos. Según iba creciendo la cosa empeoraba y llegó un momento en que pasaba más tiempo convertido en animal que en ser humano.

—Eso está bien, hijo –le animaba el padre–. Te estás convirtiendo en una fiera a la que todos adorarán.

Efectivamente, llegó un día en que los compañeros del joven temblaban en su presencia. Le mostraban respeto, ya que sus colmillos habían crecido enormemente, sus garras poseían unas afiladas uñas y su furia agresiva era demoledora. Se hizo más fuerte que los demás y le gustaba sentirse tan poderoso. Hasta que un día acabó convertido definitivamente en un animal de verdad, que rugía, devoraba y cazaba sin que nada ni nadie se lo pudiera impedir. Pero entonces, cuando parecía que nada podía endulzarlo, conoció a una joven gacela a la que sintió la irrefrenable necesidad de ofrecer su protección, y acabó casándose con ella.

Este cuento me tuvo obsesionado durante años y acabé convencido de que era real, tan real como la vida misma, y siempre deseé convertirme en el protagonista de esa terrible fábula.

Pero he descubierto que es una patraña. Ahora sé que esa agresividad que dominaba al chico era un animal que crece dentro de nosotros sin que podamos hacer nada por impedirlo, un animal al que alimentamos con nuestros perores pensamientos. Y debemos luchar para que no crezca, para que no nos domine.

Debemos liberarnos de él antes de que sea demasiado tarde. O nos devorará él a nosotros.

¿Sabías que,
desde 1999,
el 25 de noviembre
se conmemora el
Día Internacional
de la Eliminación
de la Violencia
contra la Mujer?

Abre
los
ojos

TEST

Mide TU GRADO DE agresividad

1. ¿Alguna vez has descargado tu rabia contra algún mueble, o la pared?

A. Sí. Mejor eso que descargarla contra alguien, ¿no?

B. Desde que me dejé los nudillos con el gotelé, no lo he vuelto a hacer.

C. Nunca. Como mucho aprieto los dientes.

2. Cuando ves que en los partidos de fútbol los aficionados insultan al árbitro y hasta a sus propios jugadores...

A. Es lo normal. Ver partidos de fútbol es una especie de catarsis para quitarte el mal rollo de la semana.

B. Lo entiendes, pero no lo compartes.

C. No te gusta el fútbol. Los deportes, si no son de contacto, mejor.

3. Tu tiempo de reacción empieza...

A. En cuanto oyes algo que no te gusta.

B. Depende del tema que estemos hablando.

C. En cuanto acaba de hablar la otra persona.

4. Si ves que una pelea está a punto de comenzar...

A. Te frotas las manos. Siempre viene bien descargar un poco de adrenalina.

B. Procuras no meterte, pero si te dan, respondes.

C. Te marchas.

5. Cuando escuchas a alguien decir "Un buen guantazo a tiempo..."

A. Le das toda la razón. Es la única manera de que se entiendan las cosas.

B. A veces lo has dicho tú. Pero siempre es una última opción.

C. La última opción siempre es el diálogo. A nadie se le puede educar a base de guantazos.

6. Si ves a una pareja a la que no conoces que está discutiendo acaloradamente...

A. Te enfundas el traje de superhéroe para salvar a la chica (o al chico).

B. Esperas (que no cotilleas) hasta ver dónde llega la cosa. Si solo hay palabras, no te metes.

C. Pasas. En cosas de pareja tres siempre sobran.

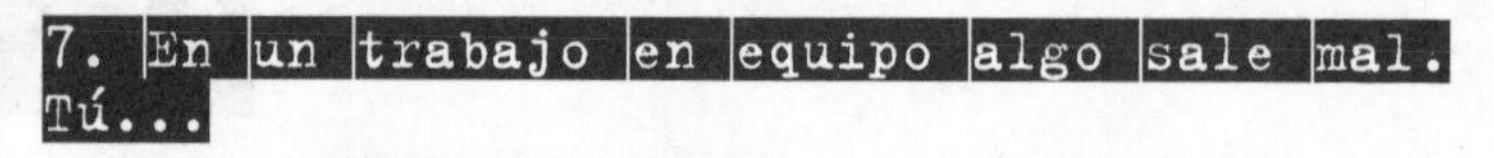

7. En un trabajo en equipo algo sale mal. Tú...

A. Se lo echas en cara a quien lo ha hecho mal. Y, por supuesto, que lo repita.

B. Entre todos buscáis el error y al responsable. Y una solución, claro.

C. Intentas averiguar qué es lo que ha salido mal y por qué. Entre todos lo arregláis.

8. Uno de tus amigos hace un comentario que no te gusta...

A. Te lo callas... pero no lo olvidas.

B. Le dices lo que te ha sentado mal, aunque esté el resto de los amigos delante.

C. Se lo comentas cuando estéis solos.

Respuestas:

- **Mayoría A.** Tú eres de los que primero dan y luego preguntan, ¿no? Quizás así consigues que nadie se te ponga por delante, pero ten en cuenta que igual que siempre hay alguien por debajo de nosotros, siempre hay alguno por encima que puede darte de tu propia medicina.

- **Mayoría B.** Algunas veces se te escapa un poco de agresividad... aunque no sueles materializarla contra nadie. Piensas que un buen guantazo a tiempo no hace mal a nadie y soluciona muchas cosas. Pero ¿estás seguro de esto último?

- **Mayoría C.** Eres de los que piensan que dos no pelean si uno no quiere. Eso, frente a la gente que no oculta su carácter agresivo, puede ser considerado de cobarde. Pero nada más lejos de la realidad. La cobardía no tiene nada con actuar inteligentemente ante situaciones conflictivas. Eso sí, recuerda que las palabras no paran los golpes y quizás debas levantar los brazos para evitarlos.

"El Colegio de Médicos de Madrid, en su obligación de velar por la profesión para asegurar la salud de los madrileños, advierte de que en caso de amenazas o agresiones verbales o físicas a los médicos, denunciará por la vía penal al agresor, dada la condición de autoridad que es inherente al médico en el desarrollo de sus funciones." (Cartel colgado en la puerta de la consulta de un Centro de Salud de la Comunidad de Madrid.)

25 de noviembre: Día Internacional de la Eliminación de la Violencia contra la Mujer

En diciembre de 1999, la ONU adoptó una Resolución en la que declaraba el 25 de noviembre como Día Internacional de la Eliminación de la Violencia contra la Mujer. Se eligió esta fecha porque ese día, en 1960, fueron brutalmente asesinadas las tres hermanas Mirabal, luchadoras sociales dominicanas. Patria, Minerva y María Teresa, conocidas como las "mariposas inolvidables", se convirtieron en el máximo exponente de la crisis de violencia contra la mujer en América Latina y allí este día se celebra desde el Primer Encuentro Feminista, que tuvo lugar en Colombia en 1981.

Intentó mediar en una discusión producida durante un partido de alevines que se disputaba en Córdoba el 6 de mayo de 1984. El policía nacional no pudo sobrevivir a los golpes recibidos durante la pelea.

El vicecónsul de Suecia en Benidorm, José Gómez Rodríguez, falleció en Barcelona el 2 de noviembre de 1982 tras la agresión sufrida en un partido de aficionados en Pallejá.

ENTÉRATE

'n estudio de Julio de Antón, sociólogo de la irección General de la Policía, afirma que los rupos violentos en el fútbol están formados r jóvenes de veinte años de media, sin trajo, que huyen de las drogas y que se refun en el alcohol, las bengalas y la violencia. fútbol es su droga.

licía jubilado dispara el 18 de to de 1990 contra un árbitro onal durante el partido entre el ril B y el Calahonda, y acaba con vida del colegiado.

LA CARTELERA

- Durmiendo con el enemigo
- Te doy mis ojos
- El Bola
- Solas
- Nunca más
- Tomates verdes fritos
- Solo mía

rgaret Thatcher califica a los oligans como "la mayor desgracia y rgüenza del país" tras el enfrentaniento que estos provocaron entre afición inglesa y la italiana durane la final de la Copa de Europa entre l Liverpool y el Juventus en 1985. El resultado de aquella batalla fue de 39 muertos y cerca de 500 heridos.

"¿Tú sabes lo que es escuchar por un pasillo, a las cuatro de la mañana, los pasos de unas botas camperas que crujen y no saber si te van a matar, si te van a pegar una paliza, o te van a dar un beso?" (Liliana Mejía, viuda del torero Julio Robles en declaraciones a Antena 3. Como ella, miles de mujeres anónimas han sido víctimas de la violencia de género.)

Aprobado el Proyecto de Ley contra la violencia de género

El 22 de diciembre de 2004 el Congreso español aprobó por unanimidad y de forma definitiva la ley integral contra la violencia de género, el primer proyecto remitido por el Gobierno a las Cortes y que busca incrementar la protección y la ayuda a las víctimas, prevenir los malos tratos y castigar con más dureza a los agresores.

LOS NIÑOS TAMBIÉN SON VÍCTIMAS DE LOS MALOS TRATOS

Pero solo entre un 10% y un 20% de los casos de maltrato a menores se denuncian. En el extremo opuesto, la Sociedad Española de Geriatría y Gerontología afirma que entre un 3% y un 10% de los mayores de 65 años está en situación de negligencia, abuso o maltrato.

ENTÉRATE

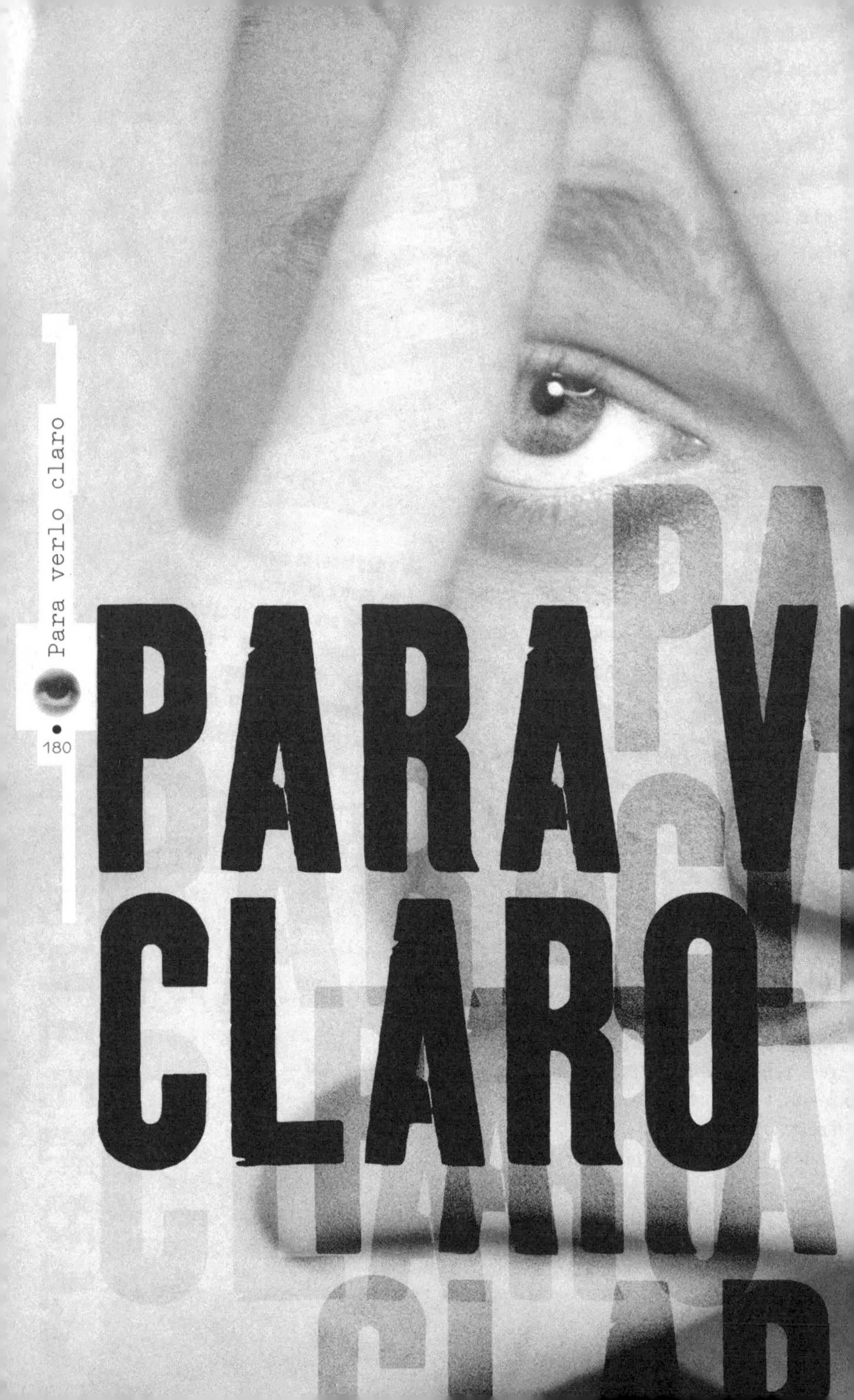
Para verlo claro
180
PARA V
CLARO

RLO
VERLO

¿CUÁNDO HABLAMOS DE MALTRATO?

Las leyes actuales consideran que el maltrato es un delito y una violación de los derechos humanos. Existe una tendencia a creer que maltrato solo es un acto ejercido con violencia física. Esto no es así. Por maltrato se entiende todo acto ejercido sobre una persona que atenta a su seguridad física (independientemente de que haya heridas visibles o no) o bien a su seguridad psíquica. No debemos olvidar la parte psicológica, pues, de hecho, cuando alguien ejerce una violencia física sobre otra persona, al mismo tiempo está afectando a su autoestima.

¿QUÉ TIPOS DE MALTRATO EXISTEN?

Normalmente se distinguen tres tipos de maltrato: psíquico, físico y sexual.

¿CÓMO PODEMOS SABER SI ALGUIEN SUFRE MALTRATO PSÍQUICO?

Entendemos que alguien sufre maltrato psíquico cuando recibe de su pareja, de forma continuada y recurrente, alguna de las acciones que se enumeran a continuación o varias de ellas a la vez:

- Humillaciones y críticas tanto en público como en privado: acciones que ridiculizan, infravaloran, menosprecian, empequeñecen a la persona como tal. Por ejemplo, frivolizar sobre sus rasgos personales o actitudes.
- Abandono: tras una discusión, dejar a la víctima sola, en contra de su voluntad, en un espacio del que tiene pocas oportunidades de escapar por sí misma. Por ejemplo: tras una discusión en el coche, dejar a la persona en mitad de una carretera o en una ciudad desconocida, o incluso en la

propia ciudad o población, pero sin medios para regresar a casa o sin opción a poderse alimentar durante un período largo de tiempo. Otro ejemplo sería encerrarla en casa contra su voluntad tras una discusión o pelea.

• Insultos, gritos, desprecios: el maltratador suele utilizarlos para hacer frente al disgusto que le provoca algo que hace la víctima. Al hablar de desprecio no nos referimos solo a expresiones tan obvias como "esta comida es un asco" o "¿este vestido de qué cortina lo has sacado?". (En estos casos, el agresor puede justificarse diciendo que hablaba en broma.) Un desprecio también puede ser no verbal: esto es, todas aquellas circunstancias en las que la víctima está sometida a un papel secundario o en las que no se le da la oportunidad de tomar una decisión o de dar una opinión. Por ejemplo, comprar o vender algún bien importante, como un coche o un piso, sin contar con la opinión o sin siquiera haberlo comentado a su pareja, cuando puede verse afectada la economía familiar por ello. Otro ejemplo sería organizar habitualmente actos o eventos sin contar con la participación de la pareja. (En estos casos, dicha capacidad organizativa puede parecer una gran habilidad que deslumbre a la víctima, pero en realidad no le permite desarrollar su creatividad, sus necesidades, ambiciones, en definitiva, su autoestima.)

• Obligar a la otra persona, con o sin coacción, a hacer cosas que no desea y que puedan atentar contra su integridad física o psicológica, o su situación económica. Por ejemplo: forzarla a tener relaciones sexuales, a firmar documentos, a arrancar el coche precipitadamente, etc.

• Conductas de restricción: controlar amistades, limitar el acceso a efectos de valor económico o emocional para la víctima, restringir las visitas familiares, limitar el dinero o coartar la libertad.

- Romper, lanzar al aire o golpear objetos como forma de expresar las emociones. Por ejemplo, tirar el mando a distancia, arrastrar todos los objetos que pueda haber en la mesa, tirándolos al suelo, lanzar objetos contra una pared, golpear la mesa o una puerta, etc.
- Cuestionar de forma reiterada todo aquello que suele hacer la víctima, o lo que para ella es importante.

¿QUÉ SE ENTIENDE EXACTAMENTE POR MALTRATO FÍSICO?

Maltrato físico es cualquier acción que atente contra la integridad física de alguien. En definitiva, golpear, empujar, agarrar sin consentimiento o de forma amenazante a la persona, o su ropa, simular la estrangulación, amenazar o atacar con algún objeto o arma.

¿QUÉ ES EL MALTRATO SEXUAL?

Consideramos maltrato sexual el mantener relaciones eróticas o conductas sexuales en contra de la voluntad de la víctima y sin muestras de afecto, e imponerle conductas que le resultan degradantes.

¿SIGNIFICAN LO MISMO VIOLENCIA DE GÉNERO Y VIOLENCIA DOMÉSTICA?

La ONU define la violencia de género como "todo acto de violencia basado en la pertenencia al sexo femenino que tenga o pueda tener como resultado un daño o sufrimiento físico, sexual o psicológico para la mujer, inclusive las amenazas de tales actos, la coacción o privación arbitraria de la libertad, tanto si se producen en la vida pública como privada". Mientras que la violencia de género es todo acto de maltrato cometido contra una mujer por el mero hecho de serlo, la violencia doméstica se refiere a los actos de maltrato cometidos contra una persona en el ámbito familiar, ya sea hermano a hermana, marido a esposa (compañero/compañera), hijo a madre, etc.

¿POR QUÉ UNA PERSONA LLEGA A MALTRATAR A OTRA?

Tiene mucho que ver con las experiencias que esa persona ha vivido en el pasado y con cómo las ha interpretado a lo largo del tiempo. En pocas palabras, al tratarse de individuos que han vivido tanto dolor (del que en muchas ocasiones no son conscientes), con una autoestima que no tolera más presuntos agravios (pues les resucitan el dolor vivido), quieren impedir que reaparezca dicho dolor y, por eso, se anticipan a los hechos y reaccionan a la defensiva. El maltrato es, pues, la forma que tienen estas personas de manifestar la ansiedad que les producen ciertas situaciones, que malinterpretan debido a sus experiencias pasadas.

Cuando sus valores se ven alterados por las circunstancias, rompiendo así su equilibrio, el maltratador se siente amenazado, provocado, y se activa su ansiedad, lo que le obliga a desplegar todos los recursos que conoce para recobrar el estatus perdido (según sus propios valores). En definitiva, el maltrato es el resultado de un miedo irracional del agresor, para compensar su percepción de sentirse dominado. Como para negociar, convencer u opinar se requieren dialéctica y buenas dotes de comunicación, difíciles de lograr en ese estado de ansiedad, el maltratador recurre al lenguaje despreciativo, humillante, censurador, protagonizando acciones que generan malestar en los demás y que, en casos extremos, conducen al empleo de la fuerza física. En ese momento "punta", le preocupa más liberar el dolor que siente que el resultado de sus propias acciones; es como si su mente solo percibiera el dolor que siente (percibe) y lo demás dejara de existir. Necesita reafirmarse y no importa cómo.

¿QUÉ FACTORES DETERMINAN QUE ALGUIEN UTILICE O NO LA FUERZA FÍSICA?

El hecho de que aparezca o no la fuerza física dependerá de los siguientes factores:

- El grado de soportabilidad del dolor, que, a su vez, depende de experiencias vividas.
- El estado de ánimo.
- La capacidad de autocontrol del individuo y su dominio de la situación mediante recursos verbales, intelectuales, etc.
- La escala de valores de la persona (con un significado emocional particular que se aleja de los parámetros estándar). Por ejemplo, si un maltratador entra en una tienda en la que el dependiente no le da los buenos días, en vez de interpretarlo como un simple signo de mala educación, se lo toma como una afronta personal, como un signo de hostilidad, activándose los mecanismos de defensa de forma automática.

¿POR QUÉ SE DICE QUE EL MALTRATADOR SE "AUTOPROVOCA"?

Al entender cierta conducta o acción como una amenaza, ataque o provocación, el maltratador siente la necesidad de recobrar de inmediato su estatus. Un estatus que, en realidad, no ha perdido (ni la otra persona pretendía que así fuera), pero que su baja autoestima y sus complejos de inferioridad le hacen creer que ha perdido. En vez de dialogar con la otra persona, el maltratador, que ha magnificado la situación y está a la defensiva, porque se siente dolido, reacciona con violencia para recuperar su equilibro, su estatus perdido, su orgullo. Y, cuanto más atacado se siente, más rápida es su respuesta. Debido a sus vivencias pasadas, el posible arsenal de respuestas que posee el maltratador está más lleno de armas agresivas que dialécticas: insultos, amenazas, coacción, gritos, manipulación, humillación. Ante estas armas, la víctima lógicamente responde alterada; esta alteración reafirma y afianza la postura del agresor ("me está atacando"), y lo lleva a defenderse. Pero cada vez el arsenal es más bélico, ya que se hace más urgente la reparación del daño que supuestamente le ha causado la otra persona. Hay que descargar todas las armas del arsenal para repeler el presunto ataque y recobrar cuanto antes la "dignidad perdida". Normalmente, en ese arsenal hay más armas letales que negociadoras.

Puede incluso llegar un punto en el que el sujeto agresor no sea capaz de discernir ninguna actitud positiva en el otro. En estos casos, aunque la víctima decida no seguir discutiendo y se aparte de su pareja para evitar el enfrentamiento, el agresor puede interpretarlo como una falta de respeto, como un desprecio hacia él, lo cual aumenta la impotencia de la víctima y el malestar del agresor.

¿CÓMO VE LA REALIDAD UN MALTRATADOR?

La violencia implica una baja capacidad racional, que da lugar a conjeturas erróneas al analizar la realidad. El maltratador tiene sus propios postulados (creencias, principios, ideas, tópicos...) sobre las relaciones y conductas humanas, y sobre la sociedad en general. Por ejemplo, entre los maltratadores son comunes creencias como: "Todo el mundo se mueve por interés", "No confío en nadie, ni en nada", "Si no tienes dinero, no eres nadie", "No se puede esperar nada bueno de los demás", "Hay que estar atento, a ver por dónde te la pegan", "Todas las mujeres son iguales", "A las mujeres, si les das un cacho, se te comen vivo", "La maté porque era mía", "Un buen guantazo a tiempo evita muchas cosas", "Me pegaban lo normal", "¿Peleas?, lo normal, como en todas las familias...", "quien diga que jamás se ha peleado con su pareja miente", etc. (Entiéndase todo ello como pauta generalizada de forma de vivir la vida, no como un pensamiento puntual aislado.)

¿ES LA VIOLENCIA UN PROBLEMA GENÉTICO?

Según algunos autores, la carga genética es un factor que contribuye a una personalidad agresiva, pero no es el único: la influencia del exterior a lo largo de los primeros años de vida tiene un papel muy importante. Por ejemplo, puede suceder que un niño sea inquieto ya desde que nace (genético), pero que la influencia positiva de su familia, que es clave en el desarrollo de su personalidad, le haga moderar su conducta.

El hecho de que un niño salga inquieto es perfectamente normal, y no tiene que ser necesariamente un problema; sencillamente requiere más dedicación. El problema puede surgir cuando la forma del niño de responder a los estímulos externos genera en los padres sentimientos de que es un pesado, de que incordia o de que no les hace caso. El problema aparecerá, pues, al enfocar mal su educación, ya que el niño sólo aprende que es un trasto, un estorbo, y, en definitiva, se va mermando su autoestima sin que nadie se dé cuenta.

¿TODOS LOS NIÑOS INQUIETOS SON MALTRATADORES "POTENCIALES"?

Los niños inquietos no tienen por qué ser maltratadores en el futuro, pero sí debemos ser conscientes de que las vivencias de los primeros años de vida son cruciales y pueden conducir a problemas más graves solo porque los padres entienden equivocadamente a su hijo. Para comprender hasta qué punto el error de los padres puede afectar al niño, veamos el siguiente caso real: un adulto al que, de niño, ataban con una cuerda para que no se escapara, porque no podían controlarlo (el propio individuo, una vez adulto, llegaba a justificar como método aceptable el hecho de que se actuara así con él en su infancia).

Del mismo modo, un niño "tranquilo" también puede llegar a ser agresor de adulto, en función de las circunstancias vividas.

Por lo general, en la infancia a los maltratadores no se les enseña, entre otras cosas, comprensión; solo que ellos son un problema por solucionar y que hay que actuar rápido, con decisiones radicales que, a menudo, no tienen para nada en cuenta al niño. Así solo se potencia la desconfianza (afectiva) en quien supuestamente nos la ha de transmitir; se prepara al adulto del mañana para actuar a la defensiva, pues, lógicamente, aunque el chico no lo recuerde de mayor, sufría y sentía dolor.

¿CÓMO INFLUYEN LOS PADRES EN LA PERSONALIDAD DE SUS HIJOS?

Uno de los errores más frecuentes de los padres es actuar superficialmente sobre el problema, creyendo que se soluciona, cuando, en el fondo, si no se profundiza (comprensión), no se averiguan las causas reales que llevaron al niño a actuar de dicha manera. Un claro ejemplo es el de un progenitor que castiga a un niño porque saca malas notas, con el objetivo de que reaccione, pero que no indaga (comprensión) sobre qué hizo que el niño sacara malas notas.

En definitiva, se trata de comprender que el mundo no solo funciona por acciones mecánicas (causa-efecto), sino que dichas acciones están sujetas a emociones que estimulan a los individuos y que merecen un profundo análisis. En el ejemplo antes mencionado, el progenitor debería haber analizado en profundidad las causas del pobre rendimiento del niño, y no castigarlo sin más. Si analizamos a fondo el problema, en vez de buscar soluciones inmediatas, aumenta la posibilidad de mejorar sus resultados y nos aseguramos de que el niño, que en los primeros años forja su personalidad imitando, aprende a respetar y comprender al otro.

Cuántas veces hemos oído cosas como estas en boca de algún progenitor: "Como te lo tenga que repetir, ¡te clavo una hostia!", "¡Cállate ya, pesao!", "¡Lárgate ya, joder!". ¿Estarían los adultos dispuestos a dejar que sus hijos u otro adulto les digan eso a ellos, del mismo modo que ellos se lo dicen a sus hijos?

En la memoria histórica del maltratador reflota el sentimiento de no dejarse avasallar y, por tanto, las alertas se activan antes de que le dé tiempo a razonar (algo que no se potenció en la infancia) lo que realmente está ocurriendo y a poder encontrar una solución empática y eficaz que tenga en cuenta al otro.

¿QUÉ OTROS FACTORES HACEN QUE SEAMOS PROPENSOS A LA VIOLENCIA?

Si a los factores congénitos y a los adquiridos por el entorno familiar añadimos la falta de comunicación, los hábitos relacionales pobres en la familia, más el crecer en un ambiente excesivamente censurador y poco motivador, caracterizado por una carencia de afectividad, es más que probable que el niño no desarrolle la capacidad de diálogo y comprensión necesaria para llevar una vida sin violencia. Por falta de afectividad no entendemos solo que se rechace al niño o que no se le quiera, sino más bien que se le permita pasar un tiempo excesivo delante del televisor o frente a la vídeo consola, y que no se dedique el tiempo suficiente para hablar con el niño, que no se le cuestione abiertamente ni se dialogue con él, compartiendo inquietudes, opinando o proponiéndole opciones, en lugar de juzgándole u ordenándole lo que ha o no ha de hacer.

El niño que crece en un ambiente de este tipo sólo aspirará a satisfacer necesidades afectivas a través de los tópicos que para él serán verdades absolutas. Por ejemplo, si ha asimilado el tópico de que "en esta vida no te puedes fiar de nadie", para él eso será un modus operandi. Asimismo, si el niño recibe normas que los padres no se aplican a sí mismos, dará más credibilidad a los tópicos que recoge de la calle o de la televisión o del cine, que normalmente generan valores básicos, irreales, superficiales y generalizaciones sobre la vida, las cosas y las personas.

En conclusión, los factores sociales como una exacerbación de la agresividad para resolver los conflictos, tanto en el ámbito familiar de origen como en su entorno más próximo, aumentan las probabilidades de que alguien desarrolle un perfil agresor. Si además intervienen consumos adictivos, el problema se potencia exponencialmente; esto es frecuente en la adolescencia de muchos maltratadores, dado que las adicciones son un canal de evasión para todos sus conflictos internos, que no hacen más que generarles mayor inestabilidad.

¿CÓMO SE IDENTIFICA A UN MALTRATADOR?

No existe un único perfil de la figura maltratadora, pero los que se conocen tienen en común el haber sufrido unas carencias específicas en el pasado y pueden distinguirse unos rasgos básicos:

- *Celoso:* Se caracteriza por expresar un interés exagerado (que llega a molestar a su pareja) por saber qué se hace, qué no se hace, con quién se va, los horarios, los retrasos... No caben imprevistos; todo es cuestionado como un acto de agravio. El maltratador necesita acompañar a la pareja a todos lados y, aunque esta se queje, la situación perdura. Para el que la ejecuta, esta actitud es vivida como normal y puede ser muestra de un acto de amor y preocupación por el otro. En el fondo, no es más que un acto de inseguridad y de dependencia.

- *Estricto y rígido:* Se caracteriza por una inflexibilidad que hace de la convivencia un infierno, ya que cualquier detalle puede ser motivo de conflicto. Mientras él lo puede percibir como algo que hay que solucionar, mejorar o cambiar, para los demás (o la mayoría) pasaría como algo de importancia relativa. Por ejemplo, pueden ser motivo de conflicto exacerbado: dónde se deja el mando a distancia, la hora de llegada, por qué su pareja se ha entretenido hablando con la vecina, por qué no usa el bolígrafo azul en lugar del rojo, o por qué derrocha el dinero comprando en un todo a 100, etc. Como el maltratador no sabe improvisar ante los cambios, un imprevisto o un cambio de planes pueden suponer un gran altercado. Una tarde de domingo de lluvia en que se tenía planeado salir a pasear al campo puede suponer tener el chaparrón en casa.
- *Irrespetuoso:* No hay cabida para los fallos; a la mínima se encuentra una excusa para faltar al respeto a la otra persona: "Pero ¿es que eres tonta o qué? ¡No te he dicho que le des al botón de la derecha!".
- *Demasiado exigente:* En lo referente a los hijos, puede no tener en cuenta que el niño está aprendiendo y, por tanto, esperar que haga todo bien, no aprecia los éxitos o incluso infravalora una buena nota: "¡Es que no te esfuerzas! Si hubieses estudiado más, habrías sacado el 10 [cuando el niño ha sacado un 8]". Si el niño ha dejado los juguetes sin recoger, cuando el marido llega a casa lo primero que dice es que está desordenada y que la mujer no cuida bien de ella, en vez de "Buenas noches" o "¿Qué tal te ha ido el día?". (Y puede que la mujer esté haciendo la cena o metiendo al hermanito en la cuna.)
- *Justificador de la violencia:* Suele alardear de acciones violentas pasadas con las que ha resuelto conflictos, tanto a nivel laboral como social, o incluso de acciones violentas por el mero hecho de pasar el rato o por diversión (por ejemplo, torturar animales). Puede llegar a justificar acciones drás-

ticas en problemas sociales, como la inmigración, la drogadicción, etc.

• *Mamitis:* Aunque no es de los más frecuentes, es común encontrar individuos que tienen idealizadas sus figuras maternas, de tal forma que no han elaborado sus propios criterios sobre lo correcto o lo incorrecto, sino que consideran que lo que han vivido en casa de pequeños es universal y que las cosas solo pueden hacerse según los patrones maternos. En estos casos, la madre ha ejercido un papel tan importante en la familia que, inconscientemente, ha llegado a anular la personalidad del hijo, que piensa como su madre y no sabe sacar conclusiones propias. Por ejemplo, pueden discutirle a su mujer cómo lavar la ropa, la forma de plegar la sábana, etc., basándose en los parámetros de su madre, sin plantearse que también hay otras formas de hacer las cosas (eso convierte la relación de pareja en una lucha de poderes ya no solo entre dos, sino entre tres). Incluso pueden esperar que su mujer haga de madre para él. Por lo general, en estos casos el padre era una figura ausente, ya sea por cuestiones laborales, o bien porque existía una figura autoritaria materna.

• *Mando y poder:* Vive la relación de pareja como una invasión constante de la mujer; por eso está siempre a la defensiva. Suele utilizar un tono sarcástico y despreciativo para todo lo relacionado con la feminidad, y exalta lo varonil. Lo femenino es débil, ridículo, mientras que todo lo varonil simboliza poder, fuerza, triunfo, éxito. Las inquietudes e iniciativas de la mujer son percibidas como una amenaza al "estatus masculino", con lo que las cuestionan antes de que se realicen o, si salen mal, humillan a su pareja insistiendo en sus incapacidades: "¿Ese vestidito te lo has comprado en las rebajas?" o "¿Has aprovechado una cortina para hacerte ese vestido o qué?".

• *Obsesivo y maniático:* Percibe la vida cotidiana como un cúmulo de obligaciones; a la hora de enfocar cualquier situación son más importantes las cosas, el deber, que las personas. Por ejemplo, aunque uno esté cansado, será más importante poner la lavadora y tender que echarse una siesta. Suele tener una verdadera obsesión por el tiempo, el orden, la limpieza, las tareas, el trabajo, etc. Poder hacer algo que le apetezca o distraerse en algo poco rentable son pérdidas de tiempo inadmisibles y, por tanto, reprochables a sí mismo y a los demás.

- *Visión jerárquica de la familia y roles de género estereotipados:* Percibe la familia como un territorio de mando. El padre es la figura de máxima autoridad, y se le debe obediencia y respeto. Tiene la verdad absoluta (debido a la experiencia adquirida), y cualquier signo de dudar de ella es percibido como un acto que cuestiona su autoridad y, por tanto, su hombría (y validez como persona). Si la mujer quiere trabajar, que trabaje: se le permite para no ser tachado de machista. La responsabilidad doméstica del varón empieza y termina en el trabajo, pues proporciona el máximo de satisfacciones materiales a los suyos. La responsabilidad de la casa es de la mujer, así como la de cuidar los niños, aunque si se "perciben errores", el varón tiene la facultad de corregirlos, ya que en último extremo es él quien debe velar por el buen funcionamiento: a sus ojos, ella no sabe tanto como él de la vida y de las cosas.

¿TODOS LOS MALTRATADORES HAN SIDO PEGADOS DE PEQUEÑOS?

A menudo se suele pensar que quien pega lo hace porque, de pequeño, a él le pegaban de forma habitual. Esto es parcialmente real: alguien puede haber sido pegado en la infancia y no llegar a ser un maltratador (o utilizar otras estrategias de maltrato); y también hay quienes no han recibido malos tratos de pequeños pero, como han sufrido una educación poco adaptativa, ejercen la violencia física. Esto nos lleva a concluir algo interesante acerca de la conducta humana: no es solo un factor el que explica el comportamiento, sino diversas circunstancias interrelacionadas entre sí.

Lo que sí es cierto es que, cuanto más deteriorado es el ambiente familiar de origen (calidad de relación), más probable se hace el uso de conductas agresivas (físicas y psicológicas).

Ya en la pareja, podemos afirmar casi con total seguridad que, si en una relación aparece el maltrato físico, es prácticamente probable que haya habido algún tipo de maltrato psíquico previo, pues es raro que aparezca el maltrato físico así sin más. También parece que, cuanto más largo es el proceso de degradación de la relación de la pareja, es decir, cuanto más instaurado está en la relación el descrédito hacia la mujer, más probable se hace la aparición de un acto hostil físico. Y si este acto no tiene demasiada trascendencia y la mujer no planta cara al problema, la repetición de la violencia se vuelve más probable y a la vez por motivos cada vez más insignificantes.

¿QUÉ HACE QUE UNA MUJER, PESE A SUFRIR MALOS TRATOS, PERSISTA EN SU RELACIÓN DE PAREJA?

Son varios los factores que pueden explicar tal circunstancia. Algunos pueden ser:

- La autoestima. En la mayoría de los casos, la autoestima de las mujeres está mermada, y eso las lleva a menospreciarse y, por tanto, a no verse capaces de conducirse por la vida por sí solas, menos aún si hay niños por medio. Todo esto hace que se autoengañen pensando que el hombre, con solo proponérselo, cambiará.

- El conectar con su verdadera realidad. Al no tomar conciencia de que son víctimas de maltrato, o dicho de otra forma, al ocultar su propia realidad y no querer hacer frente a ella, la víctima puede chocar con sus propios valores y atentar directamente contra su autoestima.

• Los hijos. El miedo a perder a los hijos o a que estos sufran por ver a sus padres separados las lleva a querer aguantar por ellos. Este es un grave error, ya que no se dan cuenta de que, por el contrario, sus hijos están aprendiendo a su vez a normalizar (tomar como norma) un estado familiar que resulta inadecuado. De hecho, los hijos que han crecido en estos ambientes reprochan de mayores a sus madres no haberlos atendido lo suficiente o no haber hecho nada por sacarlos de ese infierno.

• El resistirse a creer que la relación ha fracasado.

• La escasez de recursos económicos. Aunque no siempre es así, las razones económicas también son un factor importante, ya que, incluso aunque la mujer trabaje, en la mayoría de los casos su salario no permite una autosuficiencia absoluta.

• El miedo a la reacción de la pareja agresora.

• El miedo al qué dirán (factores socioculturales). Aunque actualmente menos, este es un valor añadido a la hora de continuar una relación o no.

• El sentimiento de culpa. Ya que el agresor basa su relación en la crítica y la censura habitual, la víctima a menudo lucha por intentar complacerlo. Esto la lleva a depender de sus juicios y opiniones. Llega a "comprender" que debe "mejorar" para hacer feliz a su pareja, pues no lo está consiguiendo con sus actuaciones actuales. Lo que no ve es que, por más que haga, no lo va a conseguir, con lo que su autoestima se va a ir degradando y asumirá que el matrimonio/relación no funciona por su culpa.

• El aislamiento social. Bien porque no tiene un grupo social de apoyo (amistades) o bien por la falta de apoyo de su familia de origen. Los grupos de apoyo externo pueden ser básicos para hacer que una mujer se decida a abandonar a su pareja; sin apoyos la víctima se siente sola y desamparada. En ocasiones, la propia familia de origen aprueba como normal las actuaciones que ejerza el agresor: "Tu padre también lo hacía", "En esta vida hemos venido a sufrir", "Seguro que no es para tanto, mujer...", "Tú procura no hacerle enfadar", "Tú tenle contento en la cama y ya verás cómo se soluciona todo...", etc.

¿CÓMO PODEMOS RECONOCER A UN MALTRATADOR?

- Siempre pretende que se haga lo que él quiere y considera que sus ideas son más convincentes, mientras que deslegitima las actuaciones de la víctima. En público o en grupo, puede llegar a ridiculizar las ideas de su pareja, siempre que el grupo sea cercano o de la confianza del maltratador. Nunca lo hará delante de la familia o de amigos de ella; al contrario, se mostrará más atento y afectivo.
- Cuando habla, piensa desde el yo, entiende su realidad desde sus esquemas y no es capaz de conectar con las necesidades ajenas. Las necesidades de la mujer son las que él entiende que ha de tener. Cuando la mujer le explica un razonamiento atendiendo a una necesidad, no sabe interpretarla y percibe que en realidad está desafiando sus principios.
- Es común que cuide mucho "las formas", que le son familiares puesto que las ha aprendido a través de películas, de los amigos o conocidos, o del entorno familiar donde ha vivido patrones similares. El problema surge cuando lo siente más como una galantería y no como un espíritu de entrega hacia su pareja, es decir, como algo que "debe hacer", porque es lo que le corresponde como hombre (seducir a la pareja y causar buena impresión). Además, estos gestos son algo que su pareja debe agradecerle siempre que él espera, y no tolera que no sea así: lo considera una falta de respeto hacia él y, por tanto, una manera, según su visión del amor, de no ser querido o de ser despreciado.
- Suele ser un excelente seductor; la mujer es considerada un objeto de deseo y/o un trofeo que se puede exhibir, algo de

lo que se puede alardear con los amigos. Frente a los amigos y conocidos, da prestigio social que ella tenga éxito en el mundo masculino, pero será coto privado de su propiedad y, por tanto, será codiciada por los demás, con lo que él se verá obligado a defenderla de otros posibles "depredadores" (porque, claro, en su lógica, entiende que todos los hombres son iguales que él).

• Como desconfía en general de todo el mundo, tiende a pensar mal de los demás. Por una parte, los otros hombres son considerados rivales, presuntos depredadores, y por otro, a sus ojos, su chica, su trofeo, resulta una previsible presa, débil, que todo aquel que se le acerque puede arrebatarle.

• Su sentimiento de fragilidad le llevará a desconfiar también de su propia pareja. En algunos casos, el maltratador ve a su pareja incluso como una "buscona" que seduce a los demás hombres. Mirará con ojo censurador el vestuario que ella se ponga en muchas ocasiones. Es paradójico, pero cuanto más válida sea la chica y más vulnerable se sienta él, más sensación de peligro tendrá de perderla y más medidas de control tomará. Puede llegar a ser obsesivo y enfermizo en sus pensamientos, pero, como él eso lo vive como amor, no entenderá que los otros se lo puedan cuestionar o le puedan hacer pensar que está llevando mal su relación. Todas estas situaciones lo convierten en víctima de sus propios esquemas o creencias.

• Otra idea bastante extendida es percibir que el mundo se lo están apropiando las mujeres y, por tanto, que hay que estar a la defensiva con ellas. Las personas con este perfil viven la relación como una lucha de poderes, donde cualquier acción de iniciativa de la mujer que no encaje con sus esquemas se vive como una invasión, como una amenaza a su estatus "masculino".

• En caso de una separación, un factor que "explicaría" el asesinato es el sentimiento de derrota; este sentimiento de pérdida total genera tal angustia e inquietud que la única forma extrema de superarlo es eliminar a su pareja, que según ellos es la fuente de sus sufrimientos. Ver a la mujer fuerte (pues logra salir adelante), la sensación de ganancia material que ellas puedan tener tras la separación (economía, hijos, patrimonio, etc.), contemplar la posibilidad que ella tenga otra pareja que haya usurpado su trofeo y verse ellos débiles (depresivos, ansiosos...), solos y desamparados son factores que pueden potenciar el fatal desenlace.

¿POR QUÉ LLEGA A SUICIDARSE EL MALTRATADOR?

En general, los maltratadores son personas muy dependientes. Para ellos, su pareja es su vida, y sobre ella sustentan su autoestima. Junto con el trabajo y los bienes materiales, la pareja es la expresión física del éxito de su vida, su soporte emocional. La felicidad no obedece al logro propio, sino que viene mediada por lo que recibe de fuera. Sin logros, la vida no tiene sentido y, como su soporte emocional depende de su pareja (no les pertenece a ellos), su ausencia y vacío los hace entrar en un abismo de desesperanza y hace derrumbar su ya de por sí escasa autoestima.

El sentimiento de desesperanza, el no reconocer sus propios fallos, el echar las culpas a los demás son reflejo de la poca capacidad que tiene el maltratador de analizar con objetividad. Todo ello ahonda más aún en sus temores, lo debilita hasta tal punto que entra en una espiral de no retorno, perdiendo contacto con la realidad e incapacitándolo para hacer frente al futuro.

¿RECONOCE UN MALTRATADOR SUS HECHOS?

Aunque en muchos casos no es así, bastantes maltratadores sí reconocen su problema. Estos son precisamente los que tienen un mejor pronóstico, pues el primer paso y quizás el más importante si se quiere cambiar la situación es este: reconocer que puede haber una parte del problema en él, y no culpar siempre a los demás del daño que les hacen.

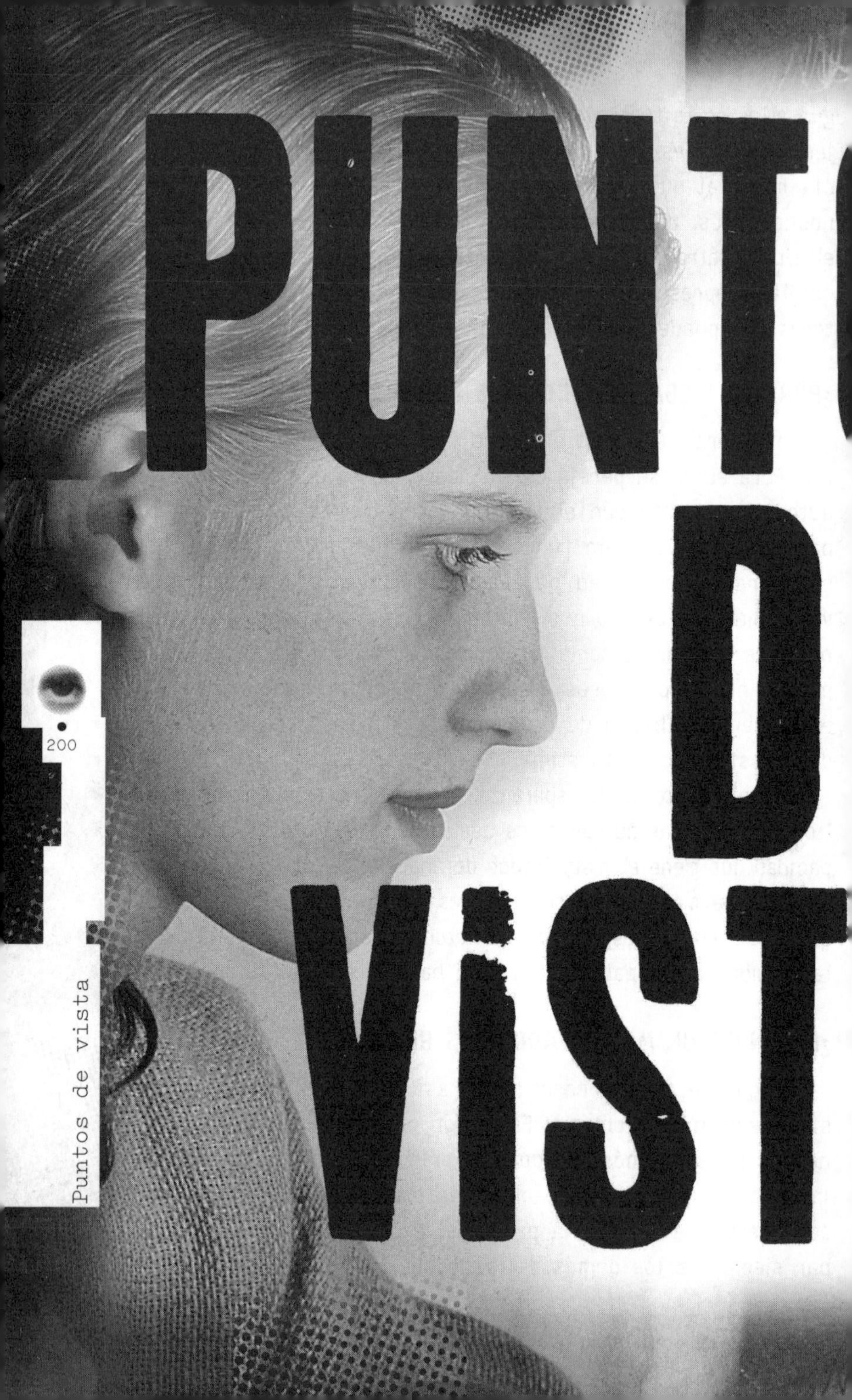
PUNT
D
VIST
200
Puntos de vista

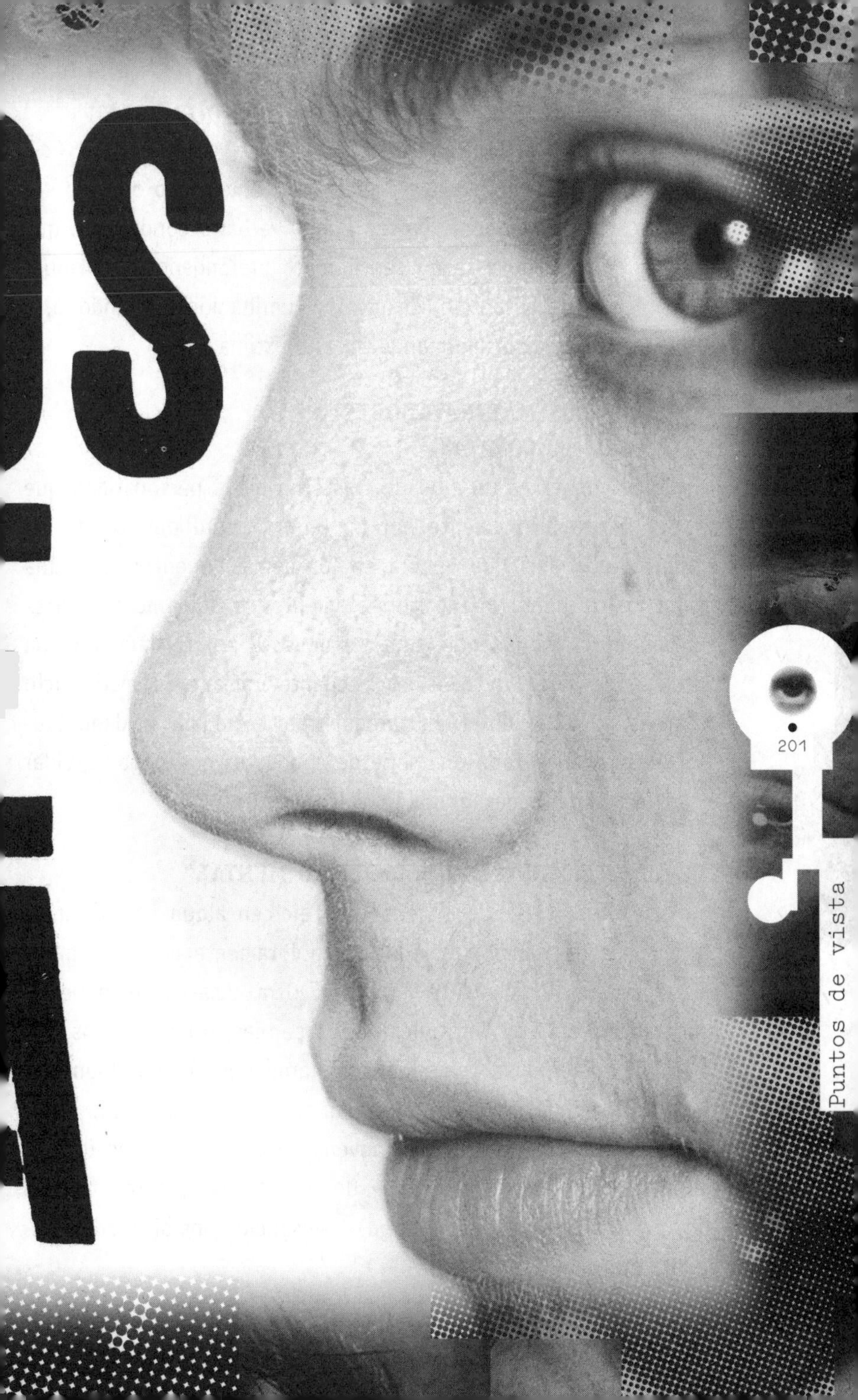
201
Puntos de vista

“LOS MALTRATADORES SON LOS QUE PEGAN A SUS MUJERES“

Por maltrato se entiende todo aquel acto ejercido sobre una persona, ya sea físico, verbal o conductual, que genera en esta un sentimiento prolongado y continuado de desánimo, desprecio, humillación o abandono, y que acaba mermando su autoestima.

“TODOS LOS MALTRATADORES SON UNOS PSICÓPATAS“

Un psicópata es un tipo de trastorno de la personalidad que se caracteriza básicamente por no tener remordimientos de los actos perjudiciales que genera en los demás, mientras que una figura maltratadora puede perfectamente no solo mostrar arrepentimiento, sino además sentirse molesta por el daño que ha ocasionado. En estos casos, es frecuente iniciar el llamado ciclo de la violencia, donde el maltratador trata de reparar el daño causado desplegando toda una serie de conductas que hagan olvidar el acontecimiento desagradable.

“EL MALTRATADOR ES UN ENFERMO MENTAL“

Por lo general, los individuos que ejercen algún tipo de maltrato a sus parejas son personas completamente normales mental y psicopatológicamente hablando. Otra cosa es cómo perciben o interpretan las actitudes de sus parejas, o los cambios que la propia relación va teniendo a lo largo del tiempo, bien por trabajo, acomodación (ya no se está tan solícito al otro), habituación (lo que antes era una novedad y atractivo ya no lo es), desmitificación de la pareja (se descubren los defectos), niños (no hay tanto tiempo de pareja), cansancio, posibles enfermedades, etc.

En los casos extremos, es decir, cuando el maltratador llega a matar a su pareja, puede sufrir algún tipo de trastorno (sobre todo a nivel emocional, ya sea estrés, depresión o ansiedad), inducido por sus propios esquemas de valores y creencias, que chocan con la realidad personal, laboral, social o de la pareja. Es más frecuente que el individuo sufra un trastorno de personalidad y no algún tipo de trastorno psicótico, aunque se conocen bastantes casos.

"LOS MALTRATADORES TIENEN UNA AUTOESTIMA MUY ALTA"

Al contrario de lo que la gente cree, detrás de una figura agresiva hay una persona que se siente vulnerable, débil y dependiente, que precisamente utiliza estrategias aversivas para mantener un "estatus" que supone en peligro.

"TODOS LOS MALTRATADORES LO SON PORQUE DE PEQUEÑOS LES PEGABAN O ABUSABAN SEXUALMENTE DE ELLOS"

Aunque es frecuente esta idea, un gran porcentaje de hombres que asisten a los programas de ayuda (cerca de un 60 %) nunca han recibido maltrato directo de su padre hacia ellos ni han tenido antecedentes de violencia doméstica de tipo físico. Tampoco es habitual que hayan sufrido abusos sexuales.

Lo que sí suele encontrarse en las familias de origen es:

- **Falta de atención**: No jugar o compartir lo suficiente con ellos, dejando que el niño pase largas horas del día a merced de otros que influyan en él, o que deba aprender en sus propias carnes a sobrevivir, frente a otros en circunstancias parecidas.

- **Falta de modelos positivos o normalizados**: La falta de otros modelos, es decir, que el niño no contacte con entornos lúdicos que le permitan distinguir otro perfil de socialización (entidades de ocio, deportivas, religiosas...), esto es, que impacten lo suficiente como para influir en su código de valores.

- **Normas de diálogo inapropiadas o inexistentes**: Cuando se dedica poco tiempo a profundizar en las necesidades del niño y no se dialoga, sino que se manda al niño a hacer cosas. En este caso, el poder se percibe como un rol familiar de autoridad que tiene la razón de todo y es el que manda: "Debes estudiar", "Es tu obligación", "Vete a por... y tráeme...", "Ya te lo había dicho yo", etc. El niño en demasiadas ocasiones es vivido como una molestia, como una carga, como un estorbo que entorpece a los mayores. Se le dice que haga una cosa pero no cómo, o no se tiene suficiente paciencia para explicarle cómo puede mejorar lo que tenga que hacer; se tiende a "juzgar su ineptitud". Los niños que crecen con esta falta de diálogo han aprendido más por ellos mismos que por lo que les han inculcado en casa; se han hecho a ellos mismos, con el riesgo que supone una educación no dirigida por un adulto. Por el contrario, al hablar de un niño, lo lógico es pensar que no lo hará todo bien a la primera, por lo que hay que enseñarle con paciencia. En la educación de un niño, no es conveniente utilizar frases categóricas como: "Jamás conseguirás...", "Nunca servirás para...", "Siempre haces lo mismo...", "Estoy harto de...".

• **Hábitos demasiado estrictos**: Para las personas que han sido marcadas desde su infancia por unos modelos de comportamientos estrictos y rígidos, puede ser un conflicto grave el haberse dejado un vaso de café en una estantería del comedor. Esto se vive como un acto de dejadez que no cabe en la mente de quien percibe la vida de manera estricta; por eso, acusa a su pareja o a los hijos de forma airada (gritos, humillaciones, etc.) para solucionar ese agravio contra sus conceptos de cómo deben hacerse las cosas.

• **Falta de hábitos**: Existe también el perfil contrario del anterior, o sea, el individuo que no ha normalizado e interiorizado hábitos de conductas básicas de higiene, orden, etc., y que generan conflicto en la relación, ya que el sujeto percibe que se le quiere molestar, que no se le acepta, o que se pretende obligarlo a cambiar. Estas personas viven los hábitos y las normas como un capricho del otro, algo que no consideran necesario según sus valores (pues no lo han aprendido así). Por ello, por ejemplo, consideran normal que el niño no tenga un horario de vuelta a casa, descuidan la dieta nutritiva del niño, o bien dejan a los niños (de corta edad) solos en casa porque le han llamado para salir una noche con los amigos.

• **Vivencia jerárquica, verticalista de la familia y roles de género estereotipados**: Según su experiencia familiar, el padre es una figura de máxima autoridad, al cual se le debe máxima obediencia y respeto, mientras que la mujer siempre debe estar en casa, dedicada por entero a la educación de los hijos y al mantenimiento de la casa. A menudo, la madre acepta con resignación su papel de cuidar abuelos y familiares enfermos, mientras que la responsabilidad doméstica del varón empieza y termina en el trabajo, proporcionando el máximo de satisfacciones materiales a los suyos. Para las personas que se han educado según estos parámetros, la mujer debe servir al marido por la contribución que hace este a la familia, ya que de él depende su sustento.

"EL MALTRATO SE DA ÚNICAMENTE EN CLASES SOCIALES BAJAS O DE BAJO NIVEL CULTURAL"

En absoluto. El maltrato se da en todo tipo de clases sociales y niveles culturales, tanto en países desarrollados como subdesarrollados.

"ES FÁCIL RECONOCER A UN MALTRATADOR"

Responden en gran medida a su historia personal, por lo que resulta difícil poderlos enmarcar en un perfil determinado. Aunque hay algunos agresores que aseguran tener muchos amigos, es frecuente que sean superficiales y no intimen; por ello, en la mayoría de los casos no tienen un grupo social sólido.

La mayoría de los agresores son normales, es decir, son personas que pueden ser muy agradables y correctas fuera de casa, que desarrollan normalmente sus actividades sin llamar la atención en buena parte de los casos, mientras que en casa tienen actitudes de dominancia, desprecio, humillación, debido sobre todo al concepto de pertenencia que tienen sobre sus familias y al amparo de la intimidad de un hogar.

Por paradójico que parezca, como cualquier otro mortal, el maltratador aspira a ser querido, a ser feliz y a no hacer daño a nadie. El problema es que choca con sus esquemas de cómo percibe la realidad.

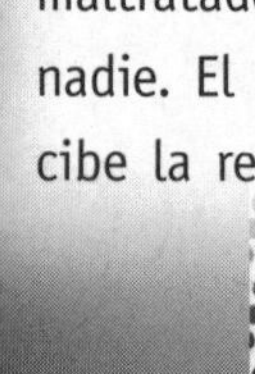

"EL MALTRATO SURGE POR CULPA DE UNA DETERIORADA ECONOMÍA FAMILIAR"

La escasez de recursos económicos no es lo que causa la violencia, aunque sí puede precipitar el deterioramiento de las relaciones familiares y del trato hacia la pareja. Normalmente, si en una mala situación económica surge algún tipo de maltrato, la tendencia agresora ya existía previamente; el factor económico sólo hace que la violencia se torne más frecuente e intensa y, por tanto, más evidente.

"EL ALCOHOL ES LA CAUSA DE QUE ALGUIEN SEA VIOLENTO"

Este es uno de los tópicos más habituales, pero, si bien hay un porcentaje importante de maltratadores que tienen problemas con el alcohol o con alguna otra sustancia adictiva, no siempre es así. La mayoría de los hombres que ejercen algún tipo de violencia sobre sus parejas no necesariamente lo hacen debido a la causa directa del alcohol o alguna otra sustancia adictiva (en todo caso, el alcohol puede ser una causa precipitante del conflicto). Lo que los hace actuar de tal manera es un determinado esquema de valores, estereotipos y roles aprendidos desde la infancia, que propicia una manera errónea de demostrar sus afectos y de interpretar la realidad y los conflictos.

Sí podemos decir que el consumo de una sustancia acentúa la intensidad de los síntomas agresivos y cronifica el problema. A menudo, las personas con problemas de agresividad encuentran en las sustancias adictivas un refugio para sus frustraciones e impotencias.

"LO QUE SUCEDE EN CASA ES PRIVADO Y NO HEMOS DE INTERVENIR"

La ley dice que un ataque cometido contra otra persona, aunque sea su cónyuge, es ilegal y, por tanto, denunciable.

"UN MALTRATADOR NO CAMBIA"

Si bien es difícil y complicado evolucionar o cambiar aspectos de la personalidad de cualquier persona, si la persona reconoce tener un problema de relación con su pareja, el cambio es posible. Eso sí, es imprescindible que el agresor sea consciente del problema y busque ayuda, pues no es una mera cuestión de voluntad. No sirven, pues, palabras como "Ya no lo haré mas" o "No volverá a suceder cariño"; si no hay un trabajo personal apoyado por un profesional y un trabajo constante, lento y largo del propio maltratador, el cambio resulta muy difícil.

"SI LE PEGA ES PORQUE ALGO HABRÁ HECHO"

No es necesario pegar a alguien que ha hecho algo mal para resolver el conflicto, ni siquiera en el supuesto caso de que nos haya provocado adrede. Ningún tipo de violencia es justificable bajo ningún concepto o circunstancia, y por supuesto ninguna víctima es culpable de su agresión.

La violencia solo la emplean aquellos que no saben usar las palabras. Existen otras alternativas para hacer frente a algo que nos molesta. Lo que lleva a tales extremos es la incompetencia e impotencia de no saberlo resolver de una forma más asertiva para ambas partes. La clave para superar una personalidad agresora es aprender a resolver los problemas con el diálogo.

"TODO MALTRATADOR HA PADECIDO ALGÚN HECHO TRAUMÁTICO EN SU VIDA"

No parece que un hecho puntual sea la causa habitual que lleve a alguien a ser un maltratador. Lo que acaba por forjar una personalidad potencialmente agresora con la pareja es más bien un cúmulo de factores socio-educativos que se van relacionando entre sí a lo largo de los años de la infancia.

"SOLO LOS HOMBRES PUEDEN SER AGRESORES"

Si bien lo más frecuente es que la violencia física la ejerza el hombre, se conocen casos de hombres maltratados que no han querido denunciar a su pareja por diferentes razones, con frecuencia por medio al ridículo o a la vergüenza que sentirían ante un policía explicándoles la situación.

Algunos autores subrayan que, cuando la mujer ejerce el rol maltratador, lo hace en forma de humillaciones, desvalorizaciones, etc., es decir, inflige un maltrato más bien psíquico, y que cuando maltrata físicamente a su pareja lo hace más como defensa propia, impulsada por un miedo insuperable.

Aunque el maltrato psíquico a hombres parece más habitual que el físico, resulta difícil asegurarlo con rotundidad en muchos de los casos, dada la manipulación que ejerce el hombre maltratador. De lo que no cabe duda es de que existe un elevado porcentaje de parejas que se dispensan maltrato psíquico mutuamente.

A
T
E

¿Alguna vez has sentido rabia, muchos celos o ganas de explotar? Probablemente, porque quién no se ha enfurecido con alguien o algo alguna vez. Lo importante es saber controlarse. Y tú, ¿qué haces en esos momentos de furia?

Haz una tabla como esta y registra en ella las cosas que te enfurecen (de mayor a menor importancia), por qué crees que te dan rabia y qué haces en esos momentos.

¿Qué me enfurece?	¿Por qué?	¿Cómo reacciono?

Pueden suceder varias cosas:

a) Echa un vistazo a las dos primeras columnas: ¿realmente eres objetivo?, ¿están justificados tus enfados? Tal vez te estés alterando por cosas que no merecen la pena. Reflexiona sobre ello.

b) Ahora observa la última columna de tu tabla. Piensa cuál de estas posibles reacciones es más habitual en ti:
   - Paso: el tiempo lo calma todo.
   - Actúo de forma racional para cambiar la situación que me molesta.
   - Me lamento y me como la furia yo solo.
   - Me comporto de forma agresiva (gritos, golpes...).

Si sueles lamentarte y comerte la cabeza tú solo, o comportarte de manera agresiva, ojo, que a veces el peor enemigo de los enfados es uno mismo. De esta forma lo único que consigues es sentirte cada vez más furioso. ¿Por qué no buscas otra solución? Haz una lista de todo aquello que te relaja y oblígate a hacer algo de eso en tus momentos de furia.

DIRECCIONES DE INTERÉS

Además de estos organismos públicos, más orientados a la mujer, en algunas Comunidades existen entidades que ofrecen programas específicos de atención para personas que entiendan que tienen un problema de agresividad con sus parejas. En las siguientes direcciones conocen la existencia de esos servicios y podrán informarte al respecto.

Andalucía

INSTITUTO ANDALUZ DE LA MUJER

Alfonso XII, 52
41002 Sevilla
955 03 49 08 / 53

San Jacinto, 7
29007 Málaga
95 503 49 08 / 53
951 04 08 47

Aragón

INSTITUTO ARAGONÉS DE LA MUJER

P.º María Agustín, 38 - planta baja
Edificio de la Antigua Maternidad Provincial
50071 Zaragoza
976 44 52 11

Asturias

INSTITUTO ASTURIANO DE LA MUJER

Pza. del Sol, 8
33009 Oviedo
98 510 67 17

Baleares

INSTITUTO BALEAR DE LA MUJER

Aragón, 26 - 1.º B
07006 Palma de Mallorca
971 77 51 16

Canarias

INSTITUTO CANARIO DE LA MUJER

Profesor Agustín Millares Carló, 18
Edificio de Usos Múltiples II, 3.º
35071 Las Palmas de Gran Canaria
928 30 63 30

Costa i Grijalba, 7
38071 Santa Cruz de Tenerife
922 47 70 03

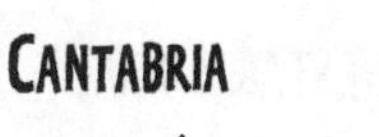

Cantabria

DIRECCIÓN GENERAL DE LA MUJER

Castilla, 2 - 1.ª planta
39002 Santander
942 22 14 33 / 27 34

Castilla-La Mancha

DIRECCIÓN GENERAL DE LA MUJER

Avda. Francia, 4 - 2.ª planta
45071 Toledo
925 26 72 00

Castilla y León

DIRECCIÓN GENERAL DE LA MUJER E IGUALDAD DE OPORTUNIDADES

Francisco Suárez, 2
47071 Valladolid
983 41 39 55

Cataluña

INSTITUT CATALÀ DE LA DONA

Viladomat, 319 - entresuelo
08029 Barcelona
93 495 16 00

Ceuta

CONSEJERÍA DE BIENESTAR SOCIAL

Avda. de África, 2
Edificio Polifuncional
51071 Ceuta
956 52 83 01

Euskadi

INSTITUTO VASCO DE LA MUJER

Manuel Iradier, 36
01005 Vitoria-Gasteiz
945 01 67 00

Extremadura

INSTITUTO EXTREMEÑO DE LA MUJER

Juan Pablo Fornés, 4
06800 Mérida
924 00 70 09

Galicia

SERVICIO GALLEGO DE IGUALDAD

Pza. de Europa, 15-A 2.º - Área Central
Polígono Fontiñas
15703 Santiago de Compostela
981 54 53 51 / 54 53 62

La Rioja

DIRECCIÓN GENERAL DE BIENESTAR SOCIAL

Villamediana, 17
26071 Logroño
941 29 11 00

Madrid

DIRECCIÓN GENERAL DE LA MUJER

Gran Vía, 12 - 2.ª planta
28013 Madrid
91 420 86 19

Melilla

VICECONSEJERÍA DE LA MUJER

General Prim, 2
52001 Melilla
952 68 19 50

Murcia

SECRETARÍA SECTORIAL DE LA MUJER

Villaleal, 1 - bajo
30001 Murcia
968 36 66 29

Navarra

INSTITUTO NAVARRO DE LA MUJER

Estella, 7 - entreplanta izda.
31002 Pamplona
948 20 66 04

País Valenciano

DIRECCIÓN GENERAL DE LA MUJER

Náquera, 9
46003 Valencia
96 398 56 00

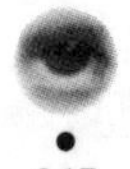

En caso de emergencia es recomendable dirigirse a la policía local, autonómica o nacional (según la localidad o Comunidad), o bien al teléfono de emergencia 112.

EN ESTE LIBRO HAS PODIDO LEER FRASES COMO ESTAS:

"La única forma de seducir a una chica es poniéndose duro con ella..." (Página 49)

"La violencia sí soluciona los problemas, y si no ya verás cuando le ponga las manos encima a ese acosador de mierda. Ya verás como no vuelve a molestarla." (Página 57)

"¿Y qué importan los motivos? ¿Qué justificaciones puede tener un hombre para matar a una mujer? Si no está a gusto con ella, puede separarse, divorciarse, marcharse, o denunciarla o mil cosas más. Pero de ahí a que se crea con derecho a matarla..." (Página 51)

"Soy un idiota y me comporté como un animal. No tengo derecho a pegarte y quiero decirte que nunca volveré a hacerlo." (Página 83)

"RECONOZCO QUE AQUELLA BOFETADA QUE LE DI A DIANA ME HABÍA DOLIDO A MÍ MÁS QUE A ELLA." (Página 90)

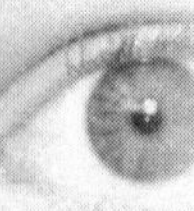

"A NINGÚN HOMBRE DECENTE LE GUSTA PEGAR A UNA MUJER." (Página 77)

"SI ME TRATAS CON RESPETO, SÉ QUE NO ME PONDRÁS LA MANO ENCIMA." (PÁGINA 136)

"Por un lado, pensaba que debía enseñarle a respetarme, pero, por otro, algo me decía que no debía hacerlo, que no era buena idea pegarle, que un hombre no debe pegar a una mujer. Era como si estuviera escuchando a la vez la voz de mi padre y de mi madre." (Página 103)

"Noté cómo el puño se me cerraba y tuve que hacer un esfuerzo para no estampárselo en plena cara." (Página 110)

LOS NIÑOS TAMBIÉN SON VÍCTIMAS DE LOS MALOS TRATOS. PERO SOLO ENTRE UN 10% Y UN 20% DE LOS CASOS DE MALTRATO A MENORES SE DENUNCIAN. (Página 179)

Muchos chicos se creen propietarios de las chicas a las que quieren. Las quieren para ellos igual que quieren a sus juguetes. (Página 169)

"En las noticias salen muchos de esos. Dicen que aman a sus novias y esposas, pero luego las matan o las maltratan..." (Página 125)

Las leyes actuales consideran que el maltrato es un delito y una violación de los derechos humanos. (Página 182)

La ONU define la violencia de género como "todo acto de violencia basado en la pertenencia al sexo femenino que tenga o pueda tener como resultado un daño o sufrimiento físico, sexual o psicológico para la mujer, inclusive las amenazas de tales actos, la coacción o privación arbitraria de la libertad, tanto si se producen en la vida pública como privada". (Página 184)

"LA MATÉ PORQUE ERA MÍA." (Pág. 187)

Mientras que la violencia de género es todo acto de maltrato cometido contra una mujer por el mero hecho de serlo, la violencia doméstica se refiere a los actos de maltrato cometidos contra una persona en el ámbito familiar. **(Página 184)**

"UN BUEN GUANTAZO A TIEMPO EVITA MUCHAS COSAS." (Página 187)

Un niño "tranquilo" también puede llegar a ser agresor de adulto, en función de las circunstancias vividas. (Página 189)

En definitiva, el maltrato es el resultado de un miedo irracional del agresor, para compensar su percepción de sentirse dominado. (Página 185)

Cuántas veces hemos oído cosas como estas en boca de algún progenitor: "Como te lo tenga que repetir, ¡¡te clavo una hostia!!", "¡Cállate ya, pesao!", "¡Lárgate ya, joder!". ¿Estarían los adultos dispuestos a dejar que sus hijos u otro adulto les digan eso a ellos, del mismo modo que ellos se lo dicen a sus hijos? (Página 190)

Al contrario de lo que la gente cree, detrás de una figura agresiva hay una persona que se siente vulnerable, débil y dependiente, que precisamente utiliza estrategias aversivas para mantener un "estatus" que supone en peligro. (Página 203)

Los factores sociales como una exacerbación de la agresividad para resolver los conflictos aumentan las probabilidades de que alguien desarrolle un perfil agresor. Si además intervienen consumos adictivos, el problema se potencia exponencialmente. (Página 191)

Según algunos autores, la carga genética es un factor que contribuye a una personalidad agresiva, pero no es el único: la influencia del exterior a lo largo de los primeros años de vida tiene un papel muy importante. (Página 188)

Si bien lo más frecuente es que la violencia física la ejerza el hombre, se conocen casos de hombres maltratados que no han querido denunciar a su pareja por diferentes razones, con frecuencia por medio al ridículo. (Página 209)

El maltratador siempre pretende que se haga lo que él quiere y considera que sus ideas son más convincentes, mientras que deslegitima las actuaciones de la víctima. En público o en grupo, puede llegar a ridiculizar las ideas de su pareja. **(Página 197)**

La violencia solo la emplean aquellos que no saben usar las palabras. Existen otras alternativas para hacer frente a algo que nos molesta. (Página 208)

Ahora ya tienes elementos
para reflexionar, para
contrastar y para actuar.
Porque, aunque los demás
puedan aconsejarte,
eres TÚ quien decides.

TÚ

ver